D0553256

Gloria Stephens

KATZEN

Fotografien von Tetsu Yamazaki

First published in Japan in 1989 by Yama-Kei Publishers Co., Ltd.
Tokyo, Japan

Deutsche Übersetzung: Dr. Marta Jacober-Züllig
Titel des englischen Originals: Legacy of the Cat

Printed in the EU.

ISBN 3-85049-588-4

Inhalt

Einführung

Ich hatte stets eine Katze. Sogar, als ich erst ein- bis zweijährig war, hielt meine Mutter eine Katze. Ich hatte Katzen, als meine eigenen Kinder heranwuchsen, und ich habe immer noch welche. Sie sind ein Teil meines Lebens, übten einen starken Einfluß auf meinen Alltag aus und darauf, wie ich mich entwickelt habe.

Als ich die High School abgeschlossen hatte, wollte ich Künstlerin oder Schriftstellerin werden. Leider gab es an der von mir gewählten Universität weder eine Kunst- noch eine Schriftstellerschule. Mein nächstes Ziel war, das Leben zu verstehen, und so graduierte ich denn an der University of Mississippi in Biologie und Psychologie. Selbst im Studentinnenheim hatte ich eine junge, schwarze Katze, ein Weibchen, bis ich bei der Vorsteherin verpetzt wurde. So mußte ich meiner Katze ein Heim finden und brachte sie meiner zukünftigen Schwiegermutter, Estelle Faulkner – Mrs. William Faulkner. Estelles Haus hieß Roanoak und lag am Stadtrand. Meine Katze würde sich im Haus und dem nahegelegenen Wald frei bewegen können. Ich bat Estelle, sie aufzunehmen, und sie tat es gerne.

Es war geplant, daß ich in Shanghai heiraten würde – Estelles Sohn aus einer früheren Ehe, der in China seinen Vater besuchte. Das hieß, daß meine Katze ein halbes Jahr in Roanoak bleiben mußte. Als ich aus China zurückkam, erzählte mir Estelle, daß meine Katze kurz nach meiner Abreise davongelaufen und nicht mehr gesehen worden sei. Ich war bekümmert. Etwa eine Woche nach meiner Heimkehr hielt ich mich gerade im Faulkner-Haus auf, als ich vom Wald her miauen hörte. Ich traute meinen Augen nicht, als meine schwarze Katze auf mich zurannte. Irgendwie hatte sie mitbekommen, daß ich wieder da war.

Später, als meine schwarze Katze gestorben war, bekam ich ein Siamesenkätzchen geschenkt. Es war meine erste Rassekatze. Ich zog nach New Orleans und besuchte dort meine erste Katzenschau. Wäre ich dort nicht hingegangen, wäre mein Leben völlig anders verlaufen. Ich betrachtete die ausgestellten Katzen mit Ehrfurcht und Interesse. Da war ein Siamese mit schokoladebraunen Abzeichen mit Namen GR Ch Makhanda Sprite (ich wußte nicht, daß er ein Champion war und später bei mir wohnen würde). Ich sagte mir, ich hätte eine Siamesin, warum also nicht zwei? Ich vereinbarte mit dem Züchter, daß er mir eine Chocolate Point von Ausstellungsqualität beschaffen würde. Ich bekam ein Katerchen, Makhanda Gengi von Mardi Gras, und zeigte es an der Katzenschau von New Orleans. Die Richter waren nicht begeistert und gaben ihm den zweiten Platz (es waren nur zwei Chocolate Points da). Ich selber fand ihn schön und verstand die Richter nicht. Er war groß mit mittelgroßen Ohren und etwas dunkel für die Chocolate-Tönung. Ich wußte nicht, daß dies bei einer Ausstellungskatze nicht erwünscht war, und brachte ihn zur nächsten Konkurrenz, da wurde er Dritter (von drei Chocolate Points).

Ich empfand dies als eine Herausforderung. Jetzt mußte ich unbedingt eine weibliche Katze haben und erstklassige Chocolate Points züchten. Ich sparte, bis ich ein Frost- und ein Chocolate-Weibchen erwerben konnte. Ich stellte sie ein Jahr lang immer wieder aus und bekam mit der Post zwei Urkunden; meine Katzen waren zu den besten interamerikanischen Chocolates und Frosts ernannt worden. Kurz darauf gab mir Mary Frances Platt, die Eigentümerin der Makhanda-Zucht, einen Seal Point-Kater, Makhanda O Sole Mio von Mardi Gras, von dem viele große Champions abstammten. Ich züchtete etwa dreizehn Jahre lang Siamesen. Eine einzige Chocolate hatte den richtigen Typ und die richtige Färbung. Ich hatte wunderschöne Frosts, und meine Zucht wurde dafür bekannt, aber nie für die von mir so sehr ersehnten Chocolates. Ich weiß jetzt, daß ich mit meinen Siamesen noch lange hätte züchten und dabei kaum je eine erstklassige Chocolate erzielen können, denn Typ und Farbe müssen genetisch gekoppelt sein.

Der Schritt, der mein Leben wiederum veränderte, war, die Mitglieder des Katzenzüchterclubs von New Orleans kennenzulernen. Sie luden mich zum Beitritt ein. Im ersten Jahr fungierte ich als Sekretärin, Empfangsdame, Ausstellungs-Katzenwartin und Reklamedirektor des Clubs. Woher sollte ich wissen, daß es üblich war, für jedes dieser Ämter jemand anzustellen? Damals war ein wichtiges Clubmitglied Gladys de Floren, die zu meiner Freundin, Lehrerin und Beraterin wurde. Später wurde ich zur Präsidentin und Schau-Managerin gewählt und behielt diese Ämter viele Jahre.

Ich taufte meine Zucht Mardi Gras und fing nun gezielt mit der Siamesenzucht an. Ich wurde sehr aktiv als Ausstellungs-Aktuarin bei fast jeder von mir besuchten Ausstellung. Jetzt lernte ich die Unterschiede zwischen den Rassen kennen und gestand mir schließlich ein, daß ich gerne Richterin werden würde. Ich ging auch ans College zurück und graduierte in bildender Kunst, vor allem in Skulptur, und später vollendete ich an der Universität mein Studium der Psychologie und erwarb die Approbation als Kunstlehrerin. Mein guter Freund Whitney Abt, ein Richter für alle Rassen innerhalb der American Cat Fanciers' Association, der mehr über Katzen wußte als irgendwer sonst, hatte mich schon lange ermutigt, Richterin zu werden. Ich hatte mich zwar dafür interessiert, aber ich hatte ganz einfach Angst; nie würde ich genug wissen, um eine gute Richterin zu werden, und ich war schüchtern. Whitney meldete mich zur Ausbildung an und versicherte mir, ich würde eine gute Richterin abgeben. Während der ersten Lehrstunde war ich so aufgeregt, daß meine Hände heftig zitterten und ich die Benotung der Katze nicht niederschreiben konnte. Ich war überzeugt, ich würde niemals den Mut haben, eine Katzenkonkurrenz zu richten. Irgendwie überlebte ich die ersten drei Konkurrenzen, und seither ist das Richten eine reine Freude für mich.

1979 wurde die International Cat Association (TICA) konstituiert, wo ich Stamm-Mitglied wurde als Instruktorin und Direktorin der Ausbildung und Entwicklung. Seit 1980 bin ich dort auch Richterin. Gegenwärtig bin ich Richterin aller

Rassen, Instruktorin, bevollmächtigt, Lehrlinge auszubilden, Richter zu schulen und Zuchtseminare zu führen, sowie Genetik-Instruktorin und Mitglied des genetischen und des richterlichen TICA-Komitees.

Ich hatte bei meiner Arbeit oft Schwierigkeiten, den Leuten beizubringen, daß ein Paar Siamesen mit weißen Abzeichen stets wieder eine Katze mit weißen Abzeichen hervorbringt und niemals eine mit dunkelbraunen Abzeichen, ganz egal, was es in ihrem Stammbaum gegeben hatte; daß eine Siamesin, deren Eltern zwei Orientalisch Kurzhaar mit dem Abzeichen-Gen gewesen waren, eine Siamesin war, wenn sie den korrekten Typ aufwies; daß die frühen Abessinier auch blau vorkamen und ebenso gut Abessinier gewesen waren wie die wildfarbenen; daß Lynx Point Siamesen waren, wenn der Typ stimmte. Oder daß, wenn Parti-Colored Points von Orientalisch Kurzhaar akzeptiert wurden, die siamesische Rasse nicht auf immer ruiniert sein würde, weil das Weißfleckgen jetzt im Genpool vorkam und zu Siamesen mit weißen Füßen führen könnte.

Ich betonte, daß das Ziel der Züchter wahrheitsgetreue Stammbäume sein sollte und daß dies nur mit Kenntnissen bewirkt werden könne. Ich wollte, daß den Züchtern klar würde, daß, wenn wir uns auf einen begrenzten Genpool festlegten, die folgenden Generationen in Gefahr gerieten, an Größe zu verlieren, nicht mehr die Vitalität der Mischlinge haben würden und riskierten, unfruchtbar zu werden und Depressionen zu bekommen (letzteres gilt auch für die Züchter).

Ich werde oft gefragt, warum ich im Bereich der Katzenzucht tätig bleibe. Meine Antwort: es ist, als lebe man in einer weltumfassenden Gemeinschaft; wo immer ein Katzenzüchter lebt, wird man sofort akzeptiert. Fast ein ganzes Leben habe ich in dieser Gemeinschaft verbracht und es nie bedauert.

Tetsu Yamazaki lernte ich vor elf Jahren an einer Katzenausstellung in Seattle kennen. Ein Japaner erschien auf dem Vorführplatz, ganz von Kameras bedeckt – das war Tetsu. Wir unterhielten uns mit Hilfe eines Dolmetschers und gingen zusammen essen. Ich mochte Tetsu auf Anhieb und lud ihn ein, mich in New Orleans zu besuchen. Er kam eine Woche später und blieb vierzehn Tage. Im nachhinein wird mir klar, daß es für Tetsu nicht einfach war, denn ich sprach kein Japanisch und er kein Englisch. Aber wir brauchten keine Sprache, um feste, gute Freunde zu werden. Zahlreiche weitere Besuche folgten.

1985 verkündete Tetsu, daß er an einem weiteren Katzenbuch arbeite und möchte, daß ich den Text dazu liefere. Zu jener Zeit lebte ich zuoberst auf einem Berg in Süd-Oregon, ohne Elektrizität. Ich besaß lediglich einen Generator, der Strom für meinen Computer erzeugte, und dieser begann, täglich viele Stunden zu summen, und veränderte vollkommen das Schweigen meines Berges. Die Niederschrift dauerte drei Jahre, und ich reiste mehrmals nach Japan, um Tetsus Katzen-Diapositive anzuschauen.

Norwegische Waldkatze

Tetsus Begabung, Katzen zu fotografieren, ist bemerkenswert. Er hat unendliche Geduld mit ihnen und weiß instinktiv, wie er mit ihnen umgehen muß. In einer einzigen flüchtigen Sekunde weiß er, wie das Wesen einer Katze einzufangen und wiederzugeben ist. Unsere Hoffnung ist es, daß unsere Leser die verschiedenen Katzenrassen kennenlernen, so daß sie, wenn sie eine Hauskatze oder eine Ausstellungskatze anschaffen wollen, ihre Entscheidung auf gute Information stützen können.

Eines der Ziele eines Zuchtvereins ist, vollständige und genaue Niederschriften zu führen und aufzubewahren. Es sollte ein Teil dieses Ziels sein, jederzeit eine Hinterlassenschaft von Information über Rassen und Farben und die Vertreter der Rassen bereitzuhalten. Wir möchten die Beziehung zwischen Katzen und Menschen verstärken, denn ohne diese Wechselwirkung würde die Welt der Katzenzüchter und -freunde nicht existieren!

Tetsu und ich bieten Ihnen unser Buch, unsere Hinterlassenschaft an.

Gloria Stephens

Die Geschichte der Hauskatze

Mensch und Katze

Die Beziehung zwischen Hauskatze und Mensch war in der Geschichte wechselhaft: bald eng, bald nicht vorhanden. Die Katze bleibt auf Distanz, wird oft mißverstanden, kann sich jederzeit in der Wildnis ohne menschliche Hilfe durchbringen; manchmal wird sie beneidet; weil sie nicht immer blind liebt, kann sie Anstoß, ja Angst erregen. Die Katze wurde mit uralten Göttern und mit Teufeln in Verbindung gebracht, und man schrieb ihr besondere Kräfte zu, die das Schicksal der Menschen beeinflußten. Der moderne Katzenfreund hingegen kennt, versteht und liebt die Katze und staunt darüber, daß sich dieses Tier an den Menschen bindet.

Frühe Vorfahren

Vorfahren unserer Katze waren vielleicht die Europäische Wildkatze, Felis sylvestris, oder die Afrikanische Wildkatze, Felis libyca aus dem Alten Ägypten. Nach einer weiteren Theorie geht unsere felis domestica auf die Wüsten-Sandkatze zurück, und die berühmte europäische «sylvester» wäre dann später dazugekommen. Die Wüsten-Sandkatze ist eine scheue kleine Katze mit struppigem, ziemlich grobem halblangem Fell.

Verbreitung

Die noch älteren Vorfahren der Katze sind wahrscheinlich im Eozän zu Hause, dem Zeitraum, in dem auch der Mensch seinen Anfang nahm. Das war Miacis, ein kleines, mißlauniges, wieselähnliches Geschöpf ähnlich unseren heutigen Mardern. Die Miacis entwickelten sich zu verschiedenen Familien von Fleischfressern, darunter auch Mitgliedern der Katzenfamilie. Die Zibet- und die Ginsterkatze sind Vettern der Hauskatze. Die ursprünglichen Miacis waren etwa luchsgroß, hatten stromlinienförmige Körper und einziehbare Krallen. Viele Arten starben in der Eiszeit, vor drei Millionen Jahren aus. Aber zusammen mit Homo sapiens überlebten etwa vierzig Katzenarten, unter ihnen Geparde, kleinere Katzen und Großkatzen. Außer den Geparden gab es sie alle sowohl in der Alten wie in der Neuen Welt. Katzenarten bewegten sich von einer Erdhalbkugel auf die andere über die Landbrücke der Beringsee. Als diese Landbrücke versank, paßten sich die Katzenarten den neuen Verhältnissen an. In kälteren Gegenden wurden sie schwerer und dickfelliger; schnelle, schlanke Katzen fühlten sich in wärmerem Klima wohl. Nach Südamerika gelangten die Katzen erst vor zwei Millionen Jahren. Die Antarktis und Australien kannten niemals Katzen.

Katzen im Alten Ägypten

Von der ersten Zähmung der Katze wird aus Ägypten berichtet; das war vor fünftausend Jahren. Es können auch anderswo und zu anderen Zeiten Zähmungen erfolgt sein, aber wir haben als einziges Zeugnis ägyptische Malereien vom Jahr 2000 v. Chr., in denen Katzen erscheinen, die zu Menschen freundlich scheinen. Ab 2000 v. Chr. gibt es zahlreiche Beweise dafür, daß es in Ägypten Mengen von Katzen gab und daß sie gut gehalten wurden. Man richtete sie zur Vogeljagd und zum Fischen ab und schätzte ihre Fähigkeit, Nagetiere zu vernichten. Die Katze war so wertvoll, daß es spezielle Gesetze gab, die sie schützten.

Die Katze wurde in Ägypten über 2000 Jahre lang verehrt. Zuerst war sie nur der Göttin Isis heilig, später der großen Katzengöttin Bastet. Die ältesten Darstellungen Bastets zeigen sie mit einem Katzenkopf. Allmählich wurde Bastet zur wichtigsten Gottheit in Ägypten, und die Katze wurde mit ihr verehrt. Das ägyptische Wort für Katze ist «mau», das heißt «sehen».

Katzen wurden von den Ägyptern so sehr geliebt, daß sie, wenn sie starben, mit kostbaren Ölen und Stoffen mumifiziert wurden. Man brachte sie dann auf eine spezielle Begräbnisstätte, wo die hinterlassene Familie Gongs schlug und zum Zeichen ihrer Trauer die Augenbrauen abrasierte. Im 20. Jahrhundert wurde eine solche Grabstätte mit über dreihunderttausend Katzenmumien in Beni Hassan entdeckt. 1907 wurden dem British Museum 190 Schädel geschenkt; die meisten gehörten zu einer bestimmten Katzengruppe, einer Form der kleinen afrikanischen Buschkatze, die den Körper einer Tabby hatte, einen beringten Schwanz und eine Skarabäus-Markierung zwischen den Ohren.

Wanderung von Asien nach Europa und Großbritannien

Nach Ägypten wurde die kleine afrikanische Buschkatze in China und Indien heimisch, in halbwildem Zustand. Später brachte der Handel die Katze nach Italien. Die Griechen kauften Katzen von den Ägyptern; die seefahrenden Phönizier hatten Katzen an Bord und brachten sie in verschiedene Weltteile. Möglicherweise kauften die Briten Katzen von ihnen; doch brachten auch die Römer Katzen nach England. Man brauchte Katzen, wie immer, zur Bekämpfung der Nagetiere.

Die Katze wurde so wertvoll, daß in England im Jahr 939 für ein Kätzchen bezahlt wurde, ehe es die Augen geöffnet hatte. Sobald es alt genug war, um Mäuse zu fangen, verdoppelte sich der Preis. Wer schuldig befunden wurde, eine Katze getötet zu haben, mußte dafür mit Weizen bezahlen: Das tote Tier wurde am Schwanz so hochgehalten, daß die Nase den Boden berührte und Korn wurde darüber gegossen, bis es ganz bedeckt war.

Katzen im Mittelalter

Katzen wurden lange mit Tod oder mit der Geisterwelt in Verbindung gebracht. Sie blieben sehr geschätzt bis zum Mittelalter, wo man sie für Opferriten brauchte und zu Tausenden tötete. 1484 brandmarkte Papst Innozenz VIII. die Katze und alle, die ihr Obdach gaben. Viele tausend Menschen, meist Frauen, wurden allein in Deutschland hingerichtet, nur weil sie Katzen hielten oder schützten. Das gab es auch in Frankreich, und Hunderttausende von Katzen wurden in Zeremonien getötet, denen Priester vorstanden. (Es gab aber auch noch heidnische Riten, die auf die Neue Welt übergriffen: über 2000 Katzenhexerei-Prozesse wurden in New England durchgeführt). Der gute Ruf der Katzen wurde wieder hergestellt als Folge der Pest; man brauchte sie zur Bekämpfung der pestbringenden Nagetiere, und so wurden sie wieder in Ruhe gelassen.

Klassifikation der Katzen

Die Katzen gehören zur klar abgegrenzten Familie der *Felidae* mit etwa achtunddreißig anerkannten Arten. Eine Methode der Klassifizierung besteht darin, die Struktur des Zungenbeins festzustellen. Bei den Großkatzen besteht es hauptsächlich aus Knorpel und ist deswegen beweglich; deshalb können Großkatzen brüllen. Ist das Zungenbein verknöchert und starr, können die Katzen nicht brüllen; solchen Katzen verlieh man den Namen *felis,* und das sind unsere Kleinkatzen. Der Gepard, dessen Krallen nicht voll eingezogen werden können, wurde zu einem eigenen Genus ernannt. Und hier noch ein paar Genera innerhalb der *Felidae,* deren Charakteristika ungewöhnlich oder einmalig sind. Der Nebelparder, Genus *Neofelis,* hat sehr lange Eckzähne; der Luchs, Genus *Lynx,* hat einen sehr kurzen Schwanz und Haarbüschel an den Ohren; Ozelot und Kleinfleckkatze, Genus *Leopardus,* haben 36 statt 38 Chromosomen.

Alle Katzen haben viel gemeinsam. Sie gehen auf den Zehen; ihr Körperbau befähigt sie zu großer, aber nicht allzu lang andauernder Schnelligkeit; alle Katzen haben normalerweise fünf Zehen an den Vorderpfoten und vier an den hinteren, ein Kissen bei jeder Zehe und einen Ballen in der Mitte; alle neugeborenen Kätzchen kommen mit Fell auf die Welt und sind blind, da ihre Augen versiegelt sind.

Die Hauskatzen in diesem Buch gehören zum Genus *Felis catus.* Bemerkenswert ist, daß wilde Katzen verschiedener Arten sich nicht kreuzen und fruchtbaren Nachwuchs hervorbringen können, aber verwilderte Hauskatzen haben sich hin und wieder mit afrikanischen und europäischen Wildkatzen gepaart, und ihre Jungen waren fruchtbar.

Die Katze hat jahrtausendelang überlebt. Aber manchmal muß man sich fragen, ob gewisse Rassen die menschlichen Manipulationen überstehen werden.

Erste Katzenschauen

Die gezielte Katzenzucht nahm vor etwas mehr als hundert Jahren ihren Anfang. Das erste Interesse an Rassen wird einem Künstler und Katzenliebhaber namens Harrison Weir zugeschrieben. Er schrieb: «Mir kam die Idee, daß man Katzenausstellungen veranstalten sollte, damit man den verschiedenen Farben, Zeichnungen etc. mehr Aufmerksamkeit schenke. Die Hauskatze, die vor dem Kaminfeuer sitzt, besäße dann eine Schönheit und Anziehungskraft, die man vorher gar nicht bemerkt hätte.»

Weir schuf die Basis für die ersten Katzenausstellungen; er legte Richtlinien für Noten, Preise, Auszeichnungen und besonders schöne Merkmale für jede Rasse fest. Diese frühen Standards beschrieben Farbe und Zeichnungen zur Bestimmung einer Rasse; sie befaßten sich nicht mit dem Körpertyp. Erst seit verhältnismäßig kurzer Zeit rückte eher der Typ in den Vordergrund.

Es gibt Katzenclubs, die von einer Gruppe von Katzen Einmaligkeit des Typs, nicht aber bestimmte Farben verlangen, um sie als Rasse anzuerkennen. Ohne die körperliche Einmaligkeit ist sie nur eine Variante bisheriger Rassen; Flecken, Farbe und Zeichnung genügen nicht.

Abessinier

In Großbritannien fand die erste Katzenschau am 13. Juli 1871 im Crystal Palace statt. 160 Katzen wurden ausgestellt. Harrison Weir, sein Bruder John Weir und der Geistliche J. Macdona waren die ersten Richter. Es folgten andere Ausstellungen: 1873 im Alexandra Palace und in Birmingham. 1875 waren in Edinburgh 560 Katzen angemeldet, und im selben Jahr gab es im Crystal Palace «325 Katzenboxen». Dr. Gordon Stables, ein Katzenrichter, schrieb 1876: «Katzenausstellungen sind noch in den Kinderschuhen, und wer immer eine gutaussehende Katze besitzt, hat die Chance, einen Preis zu bekommen. In der Zukunft wird aber nichts dem Zufall überlassen und gewinnen kann nur, wer sich der Zucht und Aufzucht der Katzen auf wissenschaftliche und vernünftige Art widmet.»

In diesen frühen Ausstellungen waren die meisten Katzen kurzhaarig und wurden für die Beurteilung nach Farben zusammengefaßt. Die erste Katzenausstellung in den USA wurde 1895 im Madison Square Garden in New York abgehalten. 1887 war der National Cat Club gegründet worden mit Harrison Weir als Präsident, und dieser Club begann damit, ein Zuchtstammbuch zu führen. Es war das erste Katzen-Zuchtstammbuch der Welt. Der Club setzte diese Arbeit fort bis 1910; dann wurde der Governing Council of Cat Fanciers gegründet und übernahm bald die Registrierung der Katzen. GCCF übt heute noch eine überwachende, einflußreiche und geachtete Funktion aus.

Die heutigen Katzenausstellungen sind nicht viel anders als die frühen. Die Methoden der Beurteilung sind je nach Land verschieden, denn manche Richter fassen die Tiere nicht an, während andere sie körperlich untersuchen. Die Rassenstandards können von Land zu Land um ein weniges oder stark variieren, je nachdem, was als ästhetisch empfunden wird. Die heutige Siamkatze zum Beispiel gleicht der Siamkatze von zwanzig Jahren früher wenig. Wird ein langer Körper als schön empfunden, so wird sie lang und länger; ist ein kurzer Körper bevorzugt, wird sie immer kürzer. Heute noch gibt es Züchter, die entsetzt sind, nach vielen Jahren der Zucht kurzhaariger Siamesen in einem Wurf plötzlich ein Langhaarkätzchen zu finden. Eine Mutation? Kaum. Es ist viel wahrscheinlicher, daß während des Krieges ein Züchter, um seine Siamesenzucht zu retten, eine Katze wie die Türkisch Angora einkreuzte und somit das Langhaargen in den Genpool der Siamesen einbrachte. Dasselbe könnte mit der Abessinier geschehen sein, die als langhaarige Abessinier (Somali) in Erscheinung trat.

Mögliches Verschwinden einiger Rassen

Verschiedene Rassen, wie wir sie heute kennen, wurden mit Sorgfalt entwickelt. Aber man muß hoffen, daß diese Eingriffe, diese Kontrolle nicht am Ende das Verschwinden der betreffenden Rasse zur Folge hat. Davor kann die stets kleinere Anzahl ausgestellter Katzen einer bestimmten Rasse warnen, sowie kleinere Würfe und weniger eingetragene Katzen. Gewisse Rassen werden verschwinden, wenn keine intelligenten und fachkundigen Maßnahmen getroffen werden. Die Genpools sind zu klein. Manche Verbände sind zu restriktiv, wenn es um das Kreuzen nicht verwandter Tiere innerhalb der Rasse geht, und zwingen damit die Züchter, immer wieder dieselben Gene zu brauchen und damit jedesmal zu riskieren, daß unerwünschte, ungesunde oder sogar tödliche Gene gepaart werden. All dies im Namen der «reinrassigen Katze», um den «reinen» Genpool nicht zu verunreinigen.

Aber solange es rezessive Gene gibt, solang der Mensch eingreift, solang Katzen sich frei in der Natur paaren, gibt es «rein-rassige» Katzen überhaupt nicht.

Was sich nie ändern darf, ist unsere Liebe, unser Annehmen und unsere Achtung vor der Katze. Das menschliche Ego darf Preise niemals höher stellen als das Wohl der Katze!

Die Grundlage der Genetik

Wie kommen Farben zustande und wie wird eine schwarze Katze blau?

Phäomelanin- und Eumelanin-Pigmente; Tabby-Gene

Es gibt zwei Leitsätze in der Genetik der Hauskatze:

1. Eine Hauskatze ist rot oder nicht rot, je nach dem Vorhandensein von Phäomelanin (rot-gelb)- oder Eumelanin (schwarz-braun)-Pigmentkörnchen im Haarschaft.
2. Alle Hauskatzen haben Tabby-Gene in ihrem Genotyp.

Zellen

Jedes Lebewesen besteht aus Zellen. Sie enthalten ein Kommandozentrum, Nucleus genannt, und im Nucleus oder Zellkern befinden sich die Chromosomen. Diese bestehen aus aneinandergereihten Genen. Gene enthalten den Entwurf eines Lebewesens. Jedes Lebewesen ist aus denselben Atomen aufgebaut. Wie diese Atome kombiniert sind, ergibt den Unterschied von Katze und Hund oder von Mensch und Blume.

Es gibt zwei Arten von Zellen: Körperzellen und Geschlechtszellen. Körperzellen müssen sich reproduzieren zu genau gleichen Zellen wie die Elternzellen; so entstehen Haut, Haar, das Herz, die Muskeln usw. Jede Zelle der Hauskatze hat 38 Chromosomen, das sind 19 Paare. Die Geschlechtszellen (das Ei im Weibchen und das Sperma im Männchen) haben pro Zelle 19 einzelne Chromosomenfäden. Wenn eine Samenzelle ein Ei befruchtet, ist wieder die volle Anzahl von 38 Chromosomen hergestellt.

Gene oder Allele

Ein Gen ist eine Informationseinheit für die Ausprägung eines Erbmerkmals. Es gibt verschiedene gleichartige Gene, die sich durch kleine individuelle Abweichungen (Mutation) voneinander unterscheiden. Sie werden Allele genannt.

Auf einem Chromosom sind immer zwei gleichartige Gene einander gegenüber aufgereiht (S/S; S/s oder s/s).

Wechselwirkung der Gene

Gene beeinflussen einander und ändern so ihre Gesamtwirkung. Gene können durch die Umgebung verändert werden. Es gibt unvollständige Dominanz (das rezessive Gen beeinflußt das dominante S/s) innerhalb eines mutierten (allelischen) Systems. Ein Erbmerkmal kann auch durch das Zusammenwirken mehrerer Gene (Modifikatoren) beeinflußt werden; man nennt das Polygenie. Vor allem die Färbung, ihre Nuancen und die Zeichnung entstehen durch Polygenie.

Maskierte Gene

Einige Gene maskieren (überdecken) andere Gene. Phäomelanin maskiert Eumelanin; dominantes Weiß

Siamese

maskiert Eumelanin und/oder Phäomelanin; Nicht-Aguti maskiert Tabby.

Chromosomen

Die Chromosomen in der Zelle sind große DNS-Moleküle; sie bestehen aus Genpaaren, welche der Boten-RNS die genetische Information mitgeben, die diese in die Zelle bringt, in welcher die Proteinsynthese stattfindet.

Jede Art hat eine ihr eigene, bestimmte Anzahl von Chromosomen. Chromosome sind gepaart. Jedes Gen oder Allel hat eine bestimmte Adresse auf dem Chromosom. Jedes Individuum hat in jeder seiner Zellen dieselben Chromosomen; nur dieses Individuum hat genau diese Chromosomen. Es handelt sich also um eine Art von genetischem Fingerabdruck.

Dominante und rezessive Gene

Gene sind dominant oder rezessiv. In Homozygoten (BB oder bb) wird dieselbe Botschaft vermittelt und empfangen. In Heterozygoten (B/b) gibt das dominante Gen B den Ausschlag; das rezessive Gen b ist weiter vorhanden und hat keinen oder wenig Einfluß auf B. Ein rezessives Gen kann unbemerkt über viele Generationen mitgetragen werden. Die Ausmerzung unerwünschter rezessiver Gene ist außerordentlich schwierig.

Geschlechtsgebundenes Rot

Phäomelanin ist geschlechtsgebunden; es sitzt auf dem X-Chromosom. Sein Partner, das kleinere Y-Chromosom, bewirkt keine Farbe; er bestimmt das Geschlecht der Katze.

Pigment- oder Melaninsynthese

Die Pigmentkörnchensynthese vollzieht sich unter dem Einfluß des hitzeempfindlichen Enzyms Tyrosinase. Je dunkler die Farbe, desto hitzeresistenter: schwarz ist hitzebeständiger als Chocolate, Chocolate hitzebeständiger als Zimtfarbe.

Dunkle Pigmentbänder können unten heller und an den Wurzeln fast weiß sein wegen der Hautwärme.

Kätzchen mit Abzeichen an den Körperspitzen werden weiß geboren; die Farbe hat sich noch nicht entwickelt, weil sie es in der Gebärmutter warm hatten. Die Farbe zeigt sich zuerst an den kühlsten Stellen des Körpers – den Körperspitzen oder Points. Der Rumpf ist wärmer und entwickelt wenig Farbe.

Abessinier/Somali

DD SCHWARZ — D D × d d — dd BLAU

Dd Schwarz | Dd Schwarz | Dd Schwarz | Dd Schwarz

Prüfung eines Genotyps: Das dominante Gen D bewirkt starke Pigmentierung; sein rezessives Allel d bewirkt Verdünnung. Dies ergibt sich durch starke Konzentration der Pigmentkörnchen im Haarschaft. Kreuzt man zwei heterozygote Katzen (D/d), verteilt sich die Pigmentierung auf die Kätzchen wie folgt: 1 DD = starke Färbung, 2 Dd = starke Färbung, wobei das rezessive Gen d mitgetragen wird, 1 d/d verdünnte Färbung.

Pigmentproduzierende Zellen bilden sich aus, wenn das Kätzchen noch ein Embryo ist, und wandern an die für sie bestimmten Stellen. Weiße Flecken lassen sich weder voraussagen noch beeinflussen. Birmas haben vielleicht einen Modifikator, der ihre weißen Stellen auf die Füße beschränkt.

Melanin-Produktion

Die Farbe des Haars, der Haut und der Augen wird durch Melanin verursacht. Dieses entsteht aus Tyrosin unter Einfluß von Tyrosinase. Die Tyrosinase-Synthese geschieht im Melanozyt und stellt die biochemische Grundlage für die Bildung von Melanin dar. Melanin wird in Form kleiner Körnchen deponiert, die in Form, Größe und Anordnung variieren, so daß verschiedene Farben entstehen. Es gibt zwei Arten von Melanin: Eumelanin und Phäomelanin.

Eumelanin (Melanin auf schwarzer Grundlage)-Körnchen denkt man sich kugelförmig, so daß sie fast alles Licht absorbieren. Phäomelanin (Melanin auf roter Grundlage) -Körnchen denkt man sich eher oval; sie brechen Licht im Bereich von Rot-Orange-Gelb.

Melanin wird in den Haarschäften gleichmäßig verteilt.

Dichte Pigmentierung

Dichte Pigmentierung (D/D) bestimmt die Dichte der Farbe. Pigmentkörnchen werden getrennt und einzeln im Haarschaft abgelegt. Licht wird von der ganzen Oberfläche zurückgeworfen, und die Farbe ist dunkler.

Verdünnen

Beim Verdünnen (d/d) werden Farbkörperchen in Ballen abgelegt, was einen helleren Lichteffekt ergibt. Jede der dicht pigmentierten, phäomelanistischen und eumelanistischen Farben läßt sich verdünnen.

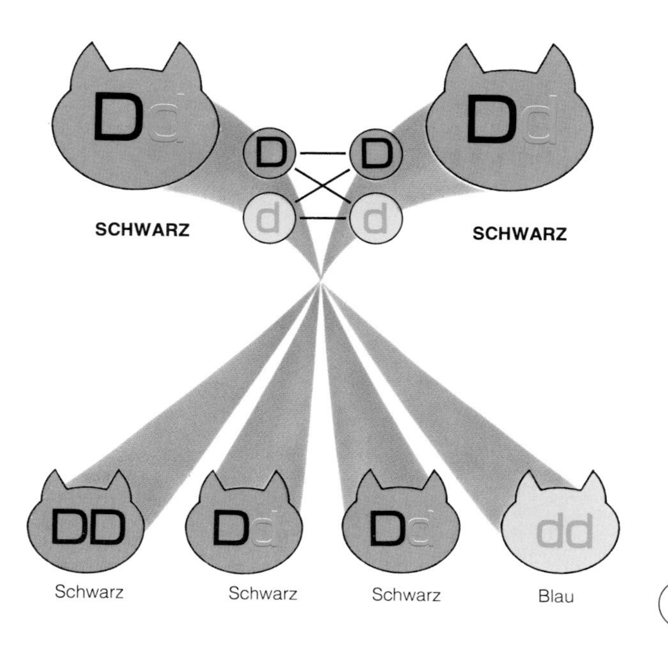

Das Verdünnungsgen braucht Farbe, um zu wirken; allein bewirkt es nichts. Wenn wir also Farbe hinzufügen (Schwarz, Chocolate, Zimtfarbe oder Rot), sieht das Ergebnis wie folgt aus: 1 B/B, D/D) = schwarz, 2 (B/B, D/d) = schwarz, wobei blau mitgetragen wird; 1 B/B, d/d) = blau.

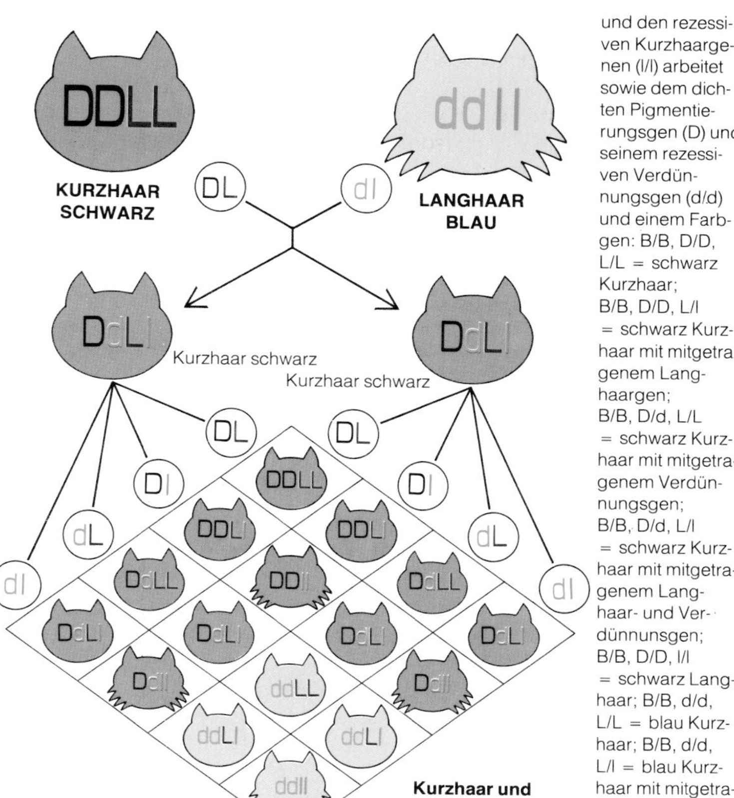

Kurzhaar und Langhaar: Folgendes läßt sich erwarten, wenn man mit dem dominanten Kurzhaargen (L) und den rezessiven Kurzhaargenen (l/l) arbeitet sowie dem dichten Pigmentierungsgen (D) und seinem rezessiven Verdünnungsgen (d/d) und einem Farbgen: B/B, D/D, L/L = schwarz Kurzhaar; B/B, D/D, L/l = schwarz Kurzhaar mit mitgetragenem Langhaargen; B/B, D/d, L/L = schwarz Kurzhaar mit mitgetragenem Verdünnungsgen; B/B, D/d, L/l = schwarz Kurzhaar mit mitgetragenem Langhaar- und Verdünnunsgen; B/B, D/D, l/l = schwarz Langhaar; B/B, d/d, L/L = blau Kurzhaar; B/B, d/d, L/l = blau Kurzhaar mit mitgetragenem Langhaargen; B/B, d/d, l/l = blau Langhaar, verdünnt mit schwarz

Das Aguti-Allel

Das Aguti (A) ist verantwortlich für gebändertes oder geticktes Haar. Das Aguti-Allel ist ein System der Pigment-Synthese, das bald funktioniert und bald nicht, indem es die Produktion bald steigert und bald vermindert. Arbeitet es, so bringt es das dunklere Aguti-Band hervor; ruht es, so entstehen schmale gelbe bis orangefarbene Farbkörperchen. Aguti-gebändertes Haar umgibt die Tabby-Zeichnung, so daß sie sichtbar wird.

Nicht-Aguti-Allel

Die gleichmäßig durchgehenden Färbungen sind das Resultat des Nicht-Aguti-Gens (a/a). Dieses Gen legt die Ausbildung eines gelben Aguti-Bands still. Es funktioniert nur bei Vorhandensein von Eumelanin. Durchgehend rotes oder cremefarbenes Haar ist genetisch unmöglich. Bei roten oder cremefarbenen Katzen wird das gelbe Aguti-Band vom Nicht-Aguti-Gen nicht beeinflußt; es entstehen rote oder gelbe Bänder (Aguti-Bänder), die die Tabby-Zeichnung sichtbar machen. Alle roten und cremefarbenen Katzen zeigen mehr oder weniger deutlich die Tabby-Zeichnung. Damit eine «völlig rote» Katze völlig rot aussieht, müßte sie

American Curl

Heimkatzen

ein Aguti Tabby sein und in hohem Maße den fuchsroten Faktor aufweisen. Durchgehende Farbe gibt es zum Beispiel, wenn ein schwarzes Band direkt auf das andere folgt. Das Auge sieht die Farbe als durchgehend schwarz, nicht als eine Ansammlung von Bändern.

Phäomelanin

Rot und Creme entstehen aus der Phäomelanin-Synthese. Dieses unterscheidet sich chemisch vom Eumelanin: die Farbkörnchen sind anders geformt. Die genaue biochemische Synthese des Melanins bei der Hauskatze ist nicht vollständig erforscht worden. Es scheint, daß Rot alles Eumelanin zu Phäomelanin umwandelt, oder daß, wenn die Phäomelanin-Synthese stattfindet, Eumelanin nicht synthetisiert wird. Das gelbe Aguti-Band beruht vielleicht auf fein zerrissenem Phäomelanin und wird vom Nicht-Aguti-Gen nicht beeinflußt. Bei dichter Pigmentierung ergibt sich aus Rot ein tiefes, reiches, klares Orangerot. Creme ist verdünntes Rot.

Eumelanin

Schwarz ist das Ergebnis der Eumelanin-Synthese. Ein Silberschimmer kann für eine «blauschwarze» Färbung verantwortlich sein. Blau ist verdünntes Schwarz. Die meisten Farb-Standards verlangen eine blaßblaue Farbe, je blasser, desto besser. Chocolate oder Kastanienbraun ist eine mittel- bis dunkelbraune Farbe dichter Pigmentierung; sie stellt eine Verdünnung dar und man nennt sie auch Chocolate-Verdünnung. Im Haarschaft ist die Anzahl Farbkörnchen manchmal vermindert. Zimtfarbe oder helles Chocolate ist von dichter Pigmentierung und erinnert an Terracotta oder Gebrannte Siena. Zimtfarbe ist ein Allel am Ort des (B)-Gens; sie ist gegenüber Chocolate und Schwarz rezessiv. Frost ist verdünntes Chocolate und wird auch fliederfarben oder lavendelfarben genannt; es ist ein Frost-, Tauben- oder helles Maulwurfsgrau. Fawn-Beige sieht aus wie Milchkaffee oder Caramel, eine warme, rötlich angehauchte Farbe. Es kann durch Verdünnung zustandekommen oder einem dominanten Modifikator und einem Verdünner-Gen zu verdanken sein.

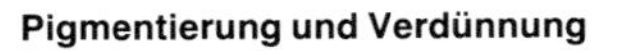

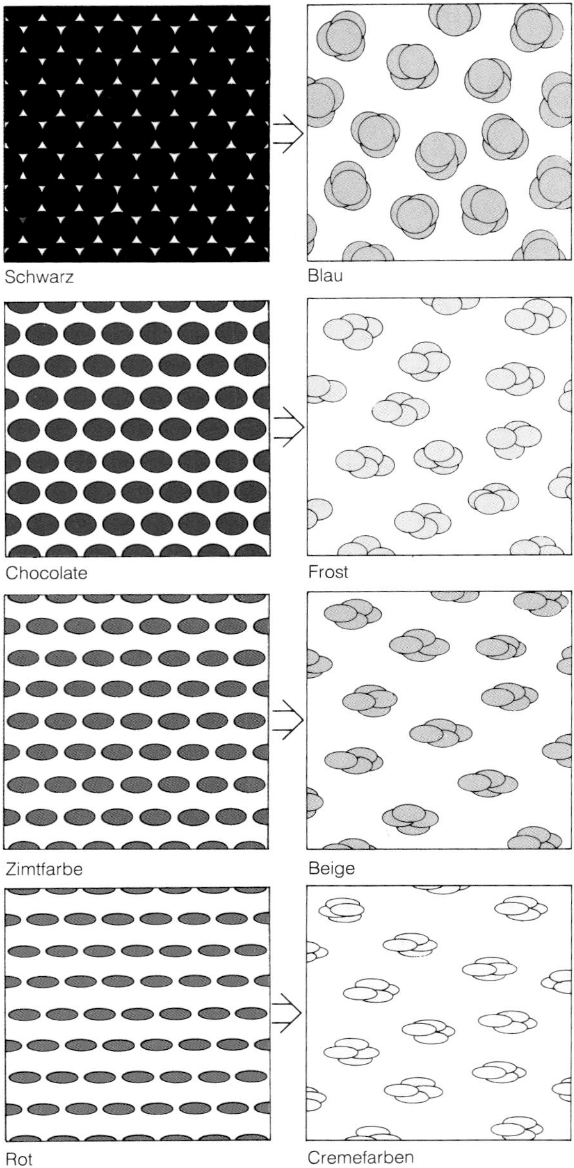

Russisch Blau

AKTIV
Die Bildung von Pigment ist rasch; die Farbe wird schwarz.

INAKTIV
Pigment bildet sich langsam; die Farbe wird gelb bis orange.

AKTIV
Die Bildung des Pigments beschleunigt sich wieder, die Farbe wird schwarz.

INAKTIV
Die Pigmentbildung verlangsamt sich, die Farbe wird gelb bis orange.

◀ **Aguti**

Oriental Shorthair Fawn/Chocolate

Tabby

Die Tabby-Zeichnung beruht auf zwei Faktoren: dem Aguti-Gen und dem Tabby-Zeichnung-Gen. Bei speziellen Umständen ist das Tabby-Muster sichtbar: bei roten Genen, bei jungen Kätzchen, die später einfarbig werden; bei Smoking oder wenn die Smoke-Gene und die Schattierungsgene bei Heterozygoten einen «Smoke»-Tabby hervorbringen (Ägyptische Mau zum Beispiel).

Die Grundfarbe des «wilden» Tabby ist unauffällig; sie steht nicht unter dem Einfluß des Fuchsrot-Faktors (einer Vertiefung der Grundfarbe dank einem Fuchsrot-Polygen). Viele Ausstellungskatzen, rote und braune Tabbies, weisen den Fuchsrot-Faktor auf oder sind goldfarben, woraus sich eine satte, warme, aprikosenfarbene Grundfarbe ergibt.

Aguti (Abessiniertabby oder getickte Tabby) scheint allen anderen Zeichnungen gegenüber dominant und zeigt sich mindestens am Kopf: Kopflinien, bleistiftdünne Markierungen und «M» auf der Stirn. Der Körper sollte keinerlei Zeichnungen, weder Streifen noch Ringe, aufweisen. Damit läßt sich glänzend arbeiten, wenn keine Zeichnung auf dem Körper erwünscht ist, wie bei roten und cremefarbenen Katzen, Schildpatt und Lynx-Point-Katzen.

Die Zeichnung der getigerten Tabby besteht aus Streifen. Die klassische Tabby-Zeichnung kombiniert Streifen und Kreise oder runde Flecken. Die Zeichnung der getupften Tabby, glaubt man, beruht auf der Wirkung eines Modifikators, der die Streifen auf der getigerten Tabby oder der klassischen Tabby zu Tupfen aufbricht, denn die Tupfen folgen entweder der klassischen oder der getigerten Tabby-Zeichnung. Alle Tabbies haben das charakteristische «M» auf ihrer Stirne.

Torbie

Eine Torbie wird auch gefleckte Tabby oder Tortie-Tabby genannt. Es handelt sich um eine Schildpatt-Zeichnung, auf der ein Aguti-Gen eine Tabby-Zeichnung verursacht hat (wobei die Tabby-Zeichnung schon im Genotyp der Katze enthalten war). Bei einer

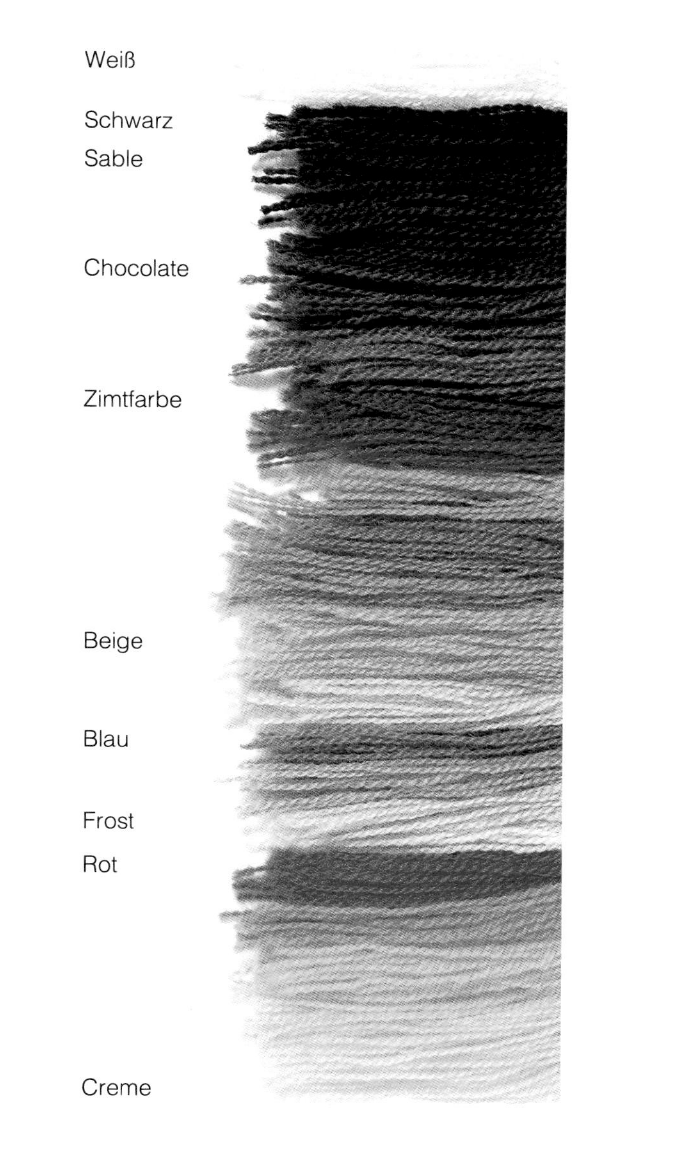

Rote Perser

Torbie müssen die eumelanistischen Zonen Tabby-Zeichnung aufweisen. Bei einer Tortie sind die eumelanistischen Zonen einförmig schwarz. Da das Nicht-Aguti-Gen auf Phäomelanin keinen Einfluß ausübt, können die phäomelanistischen Zonen der Tortie eine Tabby-Musterung aufweisen. Die meisten Torbies oder Torties sind Weibchen. In den seltenen Fällen von Männchen (XXy) sind diese gewöhnlich unfruchtbar. Eumelanin und Phäomelanin bilden die beständige genotypische Zeichnung der Torbie.

Weiß

Weiß gefleckt
Das Weißfleck-Gen (S) ist verantwortlich für Zeichnungen aus Weiß und Farbe. Es ist ein dominantes Gen und hat unvollständige Dominanz bei Heterozygoten (S/s). Es gibt mehrere Theorien über das Weißfleck-Gen. Es kann die Wanderung und Ballung von Melanophoren verhindern, so daß Melanin bestimmte Zellen oder Zellgruppen nicht erreicht. Oder melaninhaltige Zellen (Melanoblaste) wandern zwar aus der neutralen Zone aus, überleben aber nicht, so daß in bestimmten Zellen oder Zellgruppen kein Melanin produziert wird (daran kann es liegen, daß auf der Seite des blauen Auges Taubheit auftritt – die Augen können blau oder ungleich sein). Weißgefleckt nennt man Katzen mit lediglich weißen Handschuhen bis zu einer mittelstarken Bi-Color-Zeichnung oder gar der extremen Harlekin- oder Van-Zeichnung.

Dominantes Weiß
Weiß ist keine Farbe, sondern die Abwesenheit von Farbe, es kann alle Farben und Zeichnungen maskieren. Farb- und Zeichnungsgene mögen im Genotyp vorhanden sein, sich aber nicht auswirken, wenn dominantes Weiß da ist. Kreuzt man eine weiße Katze mit einer weißen Katze, so öffnet man eine Pandora-Büchse, alle möglichen Farben und Zeichnungen erscheinen in den Kätzchen. Kätzchen mit dominantem Weiß haben oft einen Farbfleck zuoberst auf dem Kopf. Hier ist maskierte Farbe durchgebrochen. Der Farbfleck verschwindet nach zwölf bis achtzehn Monaten.

Man hat eine Theorie aufgestellt, daß wegen der Dominanz von (W) Pigmentzellen sich nicht ausbreiten durften, was «weißes Haar» ergebe. Eine andere Theorie besagt, gewisse Gene stoppten die Produktion von Haarfarben, kaum habe sie begonnen; das ergäbe leere Haarschäfte ohne Farbkörnchen.

Getigerte Tabby (Scottish Fold)

Getupfte Tabby (Ägyptische Mau)

Abessinier-Tabby (Abessinier)

Klassische Tabby (American Shorthair)

Das dominante weiße Gen wurde benutzt, um weiße Orientalische Kurzhaar mit blauen Augen und ähnliche Farbschläge zu züchten. Orientalen mit tiefblauen Augen können maskierte Chocolate Points sein!

Taubheit wird gewöhnlich nicht dem dominanten Weiß-Gen zugeschrieben, sondern dem Weißfleck-Gen. Eine Katze kann beides haben; weiße Flecken sind auf Weiß nicht sichtbar. Die Augenfarbe kann kupfern, golden, orange, blau, grün oder ungleich sein. Weiße Katzen mit kupferfarbenen Augen sind so viele Generationen miteinander gekreuzt worden, daß das Erscheinen einer anderen Augenfarbe kaum mehr zu erwarten ist.

Weiße Perser

Schattierungen

Tipping

Theorien über das Tipping besagen, daß es von der Breite des gelben Bandes abhänge, welche die Menge des Melanins in den Haarspitzen beeinflusse. Eine andere Theorie, daß es eine Auswirkung des Melanininhibitors sei, eines Allels, das nicht dort auf den Chromosomen angesiedelt sei, wo das Albino-Gen residiere. Eine weitere, daß Smoke und Silber auf demselben Allel beruhten und von ein und demselben Gen, dem Melanininhibitor, bewirkt würden. Andere Hypothesen sind, Tipping-Allele befänden sich am Ort des Albino-Gens – wenn das stimmt, könnte es wohl kein Tipping mit Sepia, mit Points und mit Mink geben. Chinchilla oder schattierte Katzen würden von einem Modifikator hervorgebracht, der von der Tabby-Zeichnung ausgehe; Smoke sei ein separates Gen und könne die Unterfarbe weiß machen, ohne daß das Tipping- oder Silber-Gen vorhanden seien; Smoke könne sich nur in Gegenwart von Nicht-Aguti auswirken, weshalb es nur bei einfarbigen Katzen und bei Torties vorkomme –

GENETISCHE SYMBOLE

Wildtypen		**Mutanten**	
Symbol	*Name*	*Symbol*	*Name*
A	Aguti	a/a	Nicht-Aguti
B	Schwarz	b/b	Chocolate
			b^l/b^l Zimtfarben, helle Chocolate
C	voll farbig	c^b/c^b	Sepia
		c^s/c^s	gefärbte Points
		c^a/c^a	Weißes Fell, nicht zu verwechseln mit dominantem Weiß, Weißfleck
		c^a/c^a	Albino
		c^b/c^s	Mink
D	dichte Pigmentierung	d/d	Verdünnte Pigmentierung
fd/fd	Normale Ohren	Fd	Gefaltete Ohren
		Ac	nach hinten gebogene Ohren (curled)
HR	normales Fell	hr/hr	fast haarlos
L	Kurzhaar	l/l	Langhaar
M	Schwanzlosigkeit	m/m	normaler Schwanz
o/o	Normale Färbung, kein Orange	O	Geschlechtsgebundenes Orange
pd/pd	Normale Anzahl Zehen	Pd	Polydactylie (überzählige Zehen)
R	Normalfell (Länge und Typ)	r/r	Cornish Rex
		re/re	Devon Rex
s/s	Normale Farbe ohne Weiß	S	Weiß gescheckt
T	Mackerel-Tabby-Zeichnung	Ta	Aguti-Tabby-Zeichnung
		t^b/t^b	Klassische Tabby-Zeichnung
w/w	Normale Farbe, volle Farbe	W	Maskierung durch dominantes weißes Gen
wh/wh	Normalfell (Textur)	Wh	Drahthaar

Mit weißen Handschuhen (Ragdoll)

Bi-Color (Britisch Kurzhaar)

Van (Türkisch Van)

ein Smoke Tabby sei nicht möglich. Oder Tipping-Gene bestimmten nur die Menge des Melanins, deshalb sei ein Smoke Tabby denkbar.

Chinchilla/Schattiert/Smoke
Die Unterfarbe oder das Unterfell können versilbert sein (Chinchilla, silbern schattiert) oder auch nicht (Chinchilla, golden schattiert). Eine Chinchillakatze mit Silber sieht fast rein weiß aus, funkelnd weiß, und nur ein Achtel bis zu einem Viertel der Haarspitzen ist farbig. Eine schattierte Katze sieht aus, als hätte sie einen getönten Mantel über ihren Rücken geworfen; ein Drittel bis die Hälfte der Haarspitzen tragen Farbe. Die Smoke-Katze scheint einfarbig zu sein, bis sie sich bewegt oder man die Haare teilt, so daß die weiße Unterwolle zum Vorschein kommt, wobei drei Viertel der Haarspitzen Farbe zeigen. Eine Chinchilla oder schattierte Katze hat grüne Augen, eine Smoke orangefarbene, kupferne oder goldene Augen; «zinnfarbene» Katzen sind schwarz schattiert mit orangefarbenen Augen.

Volle Farbe
(C/-) bewirkt volle Farbe. Am ganzen Körper, an Kopf, Rumpf, Beinen, Füßen und Schwanz zeigt sich ungefähr die gleiche Farbverteilung, ob die Katze gleichmäßig gefärbt, eine Tabby, eine Tortie oder schattiert ist. Die Augenfarbe ist gold- bis kupferfarben oder grün.

Das Enzym Tyrosinase A wird nicht ganz so schnell vernichtet wie produziert; es erlaubt deshalb eine volle Farbentwicklung. Das Allel mutiert dann später zu farbhemmenden, die Körperspitzen beeinflussenden Allelen.

Schattierte Silberperser

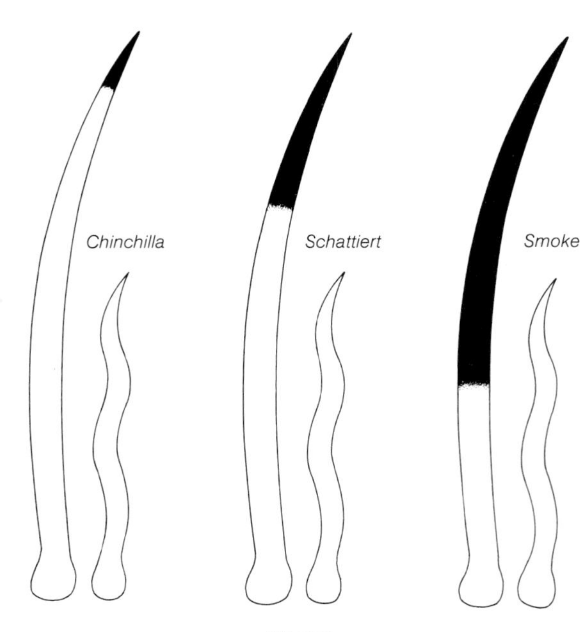

Tipping

Silberschattierte Perser/Goldschattierte Perser

Mit gefärbten Körperspitzen

Points Sepiafarbe

Bei Produktion von c^b/c^b Melanin

Schwarz	→ Seal Sepia oder sandfarben
Chocolate	→ Sepia chocolate/Champagne
Blau	→ Blaue Sepia, blau
Zimtfarben	→ Zimtsepia
Fawn-Beige	→ Fawn-Beige, sepia
Frost	→ Frostsepia/Platin
Rot	→ Rote Sepia
Creme	→ Cremesepia

Points sind vorhanden, aber nicht leicht sichtbar, bei dunkelfarbigen Katzen; auf verdünnten Farben sind sie auffällig.

Die Augenfarbe liegt zwischen Kupfer und Gold oder Gelb; das Pigment in der Iris ist reduziert, so daß aus Kupfer Gold oder Gelb wird; die bräunende Wirkung des Augenpigments fällt aus. Das Enzym Tyrosinase A^1 ist stärker wärmeempfindlich als Tyrosinase.

Vollfarbige Abzeichen

Mit c^s/c^s beschränkt sich die Farbe auf die Abzeichen; die Farbe des Körpers ist eine sehr blasse Variante der Abzeichen:

Schwarz	→ Seal Point
Chocolate	→ Chocolate point
Blau	→ Blue Point
Zimtfarben	→ Cinnamon Point
Fawn-Beige	→ Fawn Point
Frost	→ Frost Point
Rot	→ Red Point
Creme	→ Cream Point

Die Augenfarbe ist blau; vor der Iris gibt es kein Pigment, so daß nur blaues Licht reflektiert wird. Die wirkliche Augenfarbe ist maskiert, das Pigment kann kupfern, grün oder golden sein. Tyrosinase A^{11} ist noch stärker wärmeempfindlich.

Mink Color

Bei c^b/c^s ergeben sich durch die Verbindung von Sepia- und Pointfarben Minkfarben an den dunklen Abzeichen; die Körperfarbe ist wenig heller als die Körperspitzen, und die Augen haben ein grünliches Blau:

Schwarz	→ Seal Mink oder Natural Mink
Chocolate	→ Chocolate Mink oder Champagner-Mink
Zimt	→ Cinnamon Mink oder Honey Mink
Fawn-Beige	→ Fawn Mink
Frost	→ Frost Mink oder Platinum Mink
Rot	→ Red Mink
Creme	→ Cream Mink

Man nimmt an, daß jede Katze mit gefärbten Abzeichen Tabby- oder Tortie-Zeichnung aufweist und versilbert oder getippt werden kann.

Colorpoint Seal Point

Burma braun

Tonkinese Natural Mink

Siamese Chocolate Point

Schildpatt-Perser

Weiß mit blauen Augen, Albino
Bei c^a/c^a ergibt sich weiß mit blauen Augen, nicht dieselbe Katze wie diejenige mit dominantem Weiß und blauen Augen; Tyrosinase ist fast ganz «ausgebrannt». Mit c/c haben wir eine Albino. Eine echte Albino hat rote Augen. Albinismus (Farblosigkeit) entsteht durch mangelnde Pigmentproduktion; das wichtige Enzym Tyrosinase wird nicht produziert oder im Maße, als es produziert wird, vernichtet.

Schildpatt

Die Schildpattzeichnung ist ein Mosaik aus Eumelanin- und Phäomelanin-Farbflecken, zusammengesetzt wie ein Puzzle. Für die British Shorthair wird ein gesprenkeltes Fell bevorzugt.

Im weiblichen Embryo hat jede Zelle zwei X-Chromosomen, wovon nur eines aktiv ist. Ein X-Chromosom (das entweder Eumelanin- oder Phäomelanin-Farbe trägt) wird in der Zelle früh stillgelegt. Die Farbe auf dem stillgelegten Chromosom entwickelt sich nie. Die aktive Farbe auf dem X-Chromosom wird synthetisiert, und im Maße, wie sich die Zellen vermehren, bilden sich Eumelanin- und Phäomelanin-Flecken, die das Schildpattmuster ausmachen.

Tortie-Farben
Schildpattfarben bestehen aus schwarzen und roten Flecken oder, bei Chocolate- und Zimt-Torties, Zimtfarbe und Rot. Einige Verbände akzeptieren schwarze, rote und cremefarbene Torties. Creme ist keine korrekte Bezeichnung, denn Creme ist verdünntes Rot; die hellere Fläche beruht aber auf Aguti-Ticking und sieht cremefarben aus. Wenn die Schildpatt ein Aguti-Tabby ist, findet man Tabby-Zeichnung nur an den Körperspitzen.

Verdünnte Torties
Jedes dicht pigmentierte Tortie- oder Torbie-Muster läßt sich verdünnen. Dann entstehen blaue, Frost- oder Fawn-Torties mit Flecken von Blau, Frost oder Fawn und Creme.

Zuchttabelle für Phäomelanin und Eumelanin
Das Gen für rote Farbe befindet sich auf dem X-Chromosom und ist geschlechtsgebunden. Mit der folgenden Tabelle lassen sich bei der Zucht von Torties Geschlecht und Farbe bestimmen; die Tabelle ist auch anwendbar für Tabby-, Sepia-, Mink-pointed-getippte, weißgefleckte und farbverdünnte Katzen. Will man den Genotyp der Kätzchen voraussagen, muß man aber an die Heterozygoten denken: Tabby × Tabby kann gleichmäßig einfarbige Katzen ergeben und Schwarz × Schwarz solche mit Abzeichen.

Rot × Rot			**Schwarz × Schwarz**		
	X^R	X^R		X^B	X^B
X^R	$X^R X^R$ rot ♀	$X^R X^R$ rot ♀	X^B	$X^B X^B$ schwarz ♀	$X^B X^B$ schwarz ♀
Y	X^R Y rot ♂	X^R Y rot ♂	Y	X^B Y schwarz ♂	X^B Y schwarz ♂
Schw. Weibchen × rotes Männchen			**Rotes Weibchen × schw. Männchen**		
	X^B	X^B		X^R	X^R
X^R	$X^B X^R$ Tortie	$X^B X^R$ Tortie	X^B	$X^R X^B$ Tortie	$X^R X^B$ Tortie
Y	X^B Y schwarz ♂	X^B Y schwarz ♂	Y	X^R Y rot ♂	X^R Y rot ♂
Tortie × rotes Männchen			**Tortie × schw. Männchen**		
	X^B	X^R		X^B	X^R
X^R	$X^B X^R$ Tortie	$X^R X^R$ rot ♀	X^B	$X^B X^B$ schwarz ♀	$X^R X^B$ Tortie ♀
Y	X^B Y schwarz ♂	X^R Y rot ♂	Y	X^B Y schwarz ♂	X^R Y rot ♂

Schlüssel

XX = weiblich   B = schwarz
XY = männlich   R = rot
BR = Schildpatt

Schildpatt-Perser mit Weiß

Mutationen

Mutationen ergeben sich, wenn ein Teil des DNS-Moleküls verändert wird, entweder weil beim «Kopieren» ein Fehler unterlief oder als Folge von Umwelteinflüssen. Ein und dasselbe Gen kann mehrere Mutationen durchmachen; das dabei gebildete allelische System kann für andere Felltextur, Farbe, Zeichnung etc. verantwortlich sein. Einige sind schön, einige nützlich und einige tödlich.

Haarlosigkeit (hr/hr) wie die der Sphynx-Katze ist gegenüber einem vollen Fell rezessiv; unvollständige Dominanz kann Varianten der Haarlosigkeit ergeben.

Faltohren (Fd/–) wie bei der Scottish Fold scheinen normalen Ohren gegenüber dominant zu sein; sie können ein homozygotes Tier verkrüppeln.

Devon (re/re) und Cornish Rex (r/r) sind zwei verschiedene «Rexier»-Gene; beide sind geradem Haar gegenüber rezessiv.

Die Schwanzlosigkeit der Manx wird durch ein dominantes Gen verursacht (M) und ist in der homozygoten dominanten Form tödlich; die Kätzchen sterben vor der Geburt, weil die Wirbelsäule unvollständig entwickelt ist. In heterozygoter Form ist es offenbar unschädlich.

Das zurückgerollte Ohr (Ac/–) der American Curl scheint ein dominantes Gen zu sein. Bis jetzt konnte nicht bewiesen werden, daß zurückgerollte und gefaltete Ohren etwas miteinander zu tun haben. Beide weisen in den Ohren versteifte Knorpel auf.

Manx

Sphynx

Cornish Rex

Andere Farben und Zeichnungen

Silber scheint Gelb oder Geschecktheit zu eliminieren und merzt so die gelbe Grundfarbe, Unterfarbe oder das gelbe Unterfell aus.

Scottish Fold

Silber-Tabby: das Silbergen kann Farbe leuchtender machen. Die gelb-orangen Bänder und die Grundfarbe sind versilbert. Man kann jedes Tabby- oder Torbiemuster versilbern. In den USA werden grüne Augen verlangt; andere Länder akzeptieren auch Silber-Tabbies mit goldenen oder orangefarbenen Augen.

Gold ist ein noch nicht bestimmtes Polygen oder Allel, ein Farbverstärker nichtversilberter Grundfarbe und nichtversilberter Unterwolle. Es scheint, daß die Farbkörnchen im gelb-orangen Band sich zu Aprikosenfarbe wandeln. Das Fuchsrot-Gen und das goldene Gen sind vielleicht identisch oder das Resultat einer Polygen-Gruppe; sie könnte thermolabil sein. Die meisten goldenen Katzen haben grüne Augen. Man kann getippte Katzen, Tabbies, Torties und Smokes zu goldenen Katzen machen.

Tortie und Weiß, oder auch Calico: man nennt eine Tortie-und-weiße Katze Calico; Calico bezieht sich im übrigen auf eine weiße Katze mit kleinen Farbflecken, wie von einem Pinsel aufgesetzt. Particolor ist ein weiterer Name für eine Tortie mit Weiß, wenn zwei Drittel gefärbt und ein Drittel weiß ist.

Torbie und Weiß nennt man auch Caliby.

Körpertyp

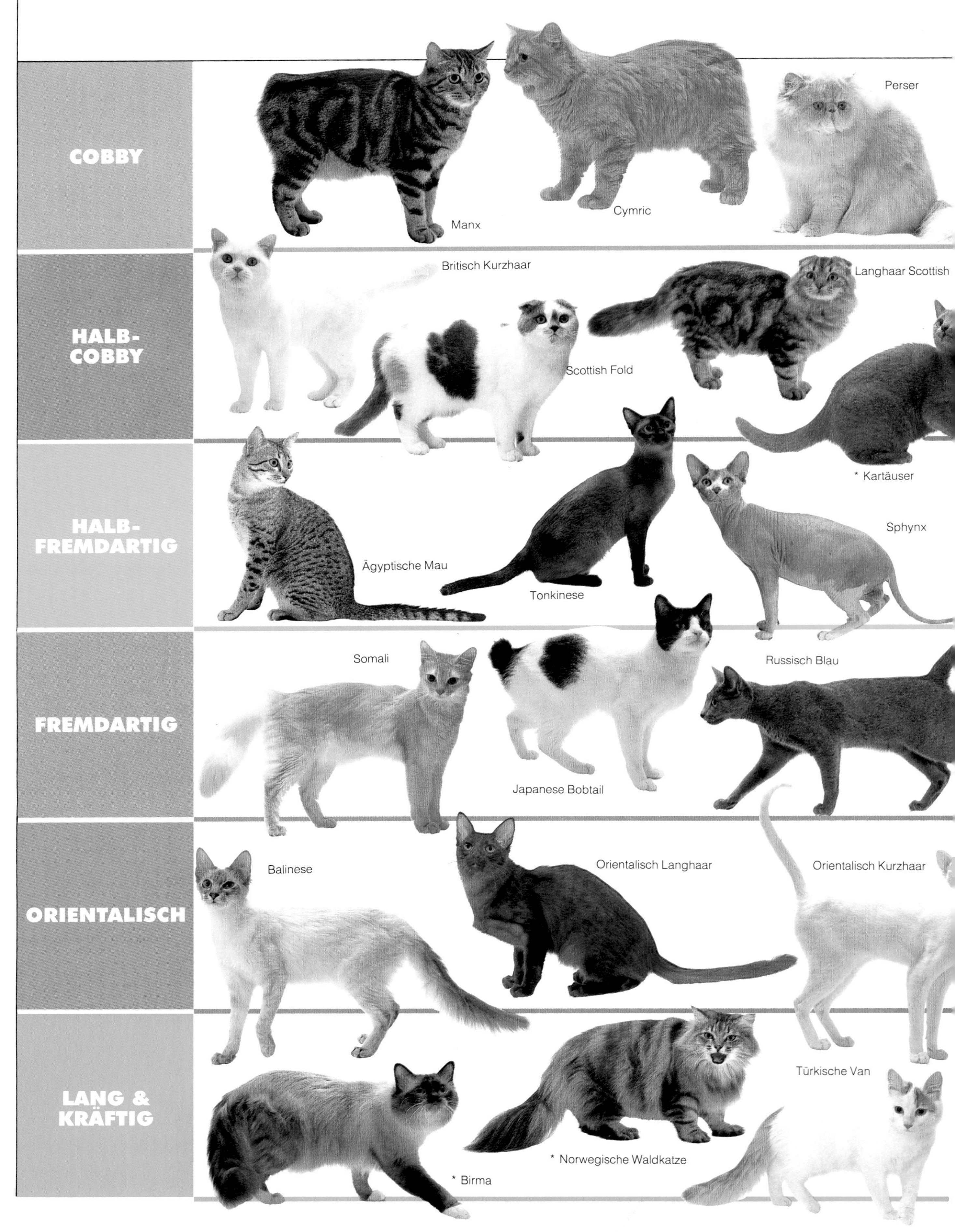
COBBY
Manx
Cymric
Perser
HALB-
COBBY
Britisch Kurzhaar
Scottish Fold
Langhaar Scottish
* Kartäuser
HALB-
FREMDARTIG
Ägyptische Mau
Tonkinese
Sphynx
FREMDARTIG
Somali
Japanese Bobtail
Russisch Blau
ORIENTALISCH
Balinese
Orientalisch Langhaar
Orientalisch Kurzhaar
LANG &
KRÄFTIG
* Birma
* Norwegische Waldkatze
Türkische Van

Katzen verschiedener Rassen sind hier aufgeteilt nach körperlichen Merkmalen, wie Körperlänge und Knochenbau. Im allgemeinen unterscheidet man nur orientalische und Cobby, aber in unserem Buch gehen wir mehr ins Detail.

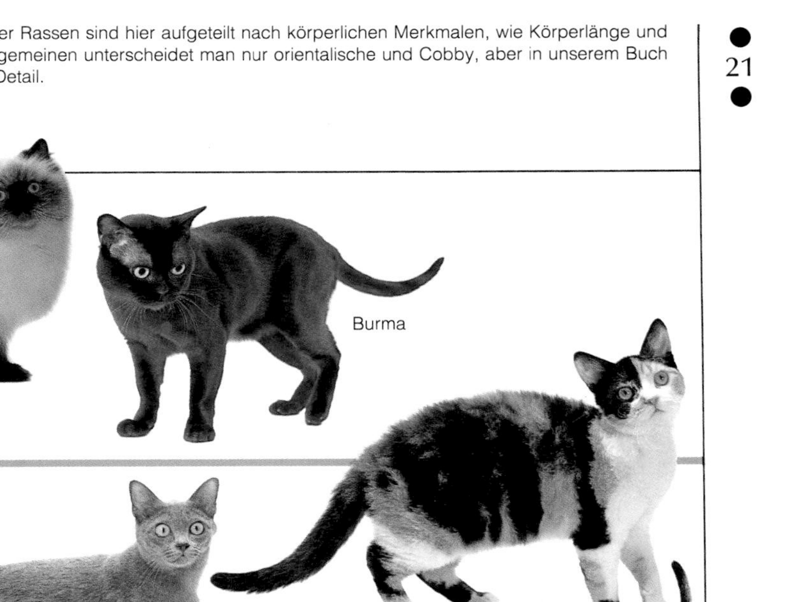

* Kartäuser: Halbcobby, schlanke Beine

* Birma/Norwegische Waldkatze: Mittellanger Körper

Farbe und Zeichnung

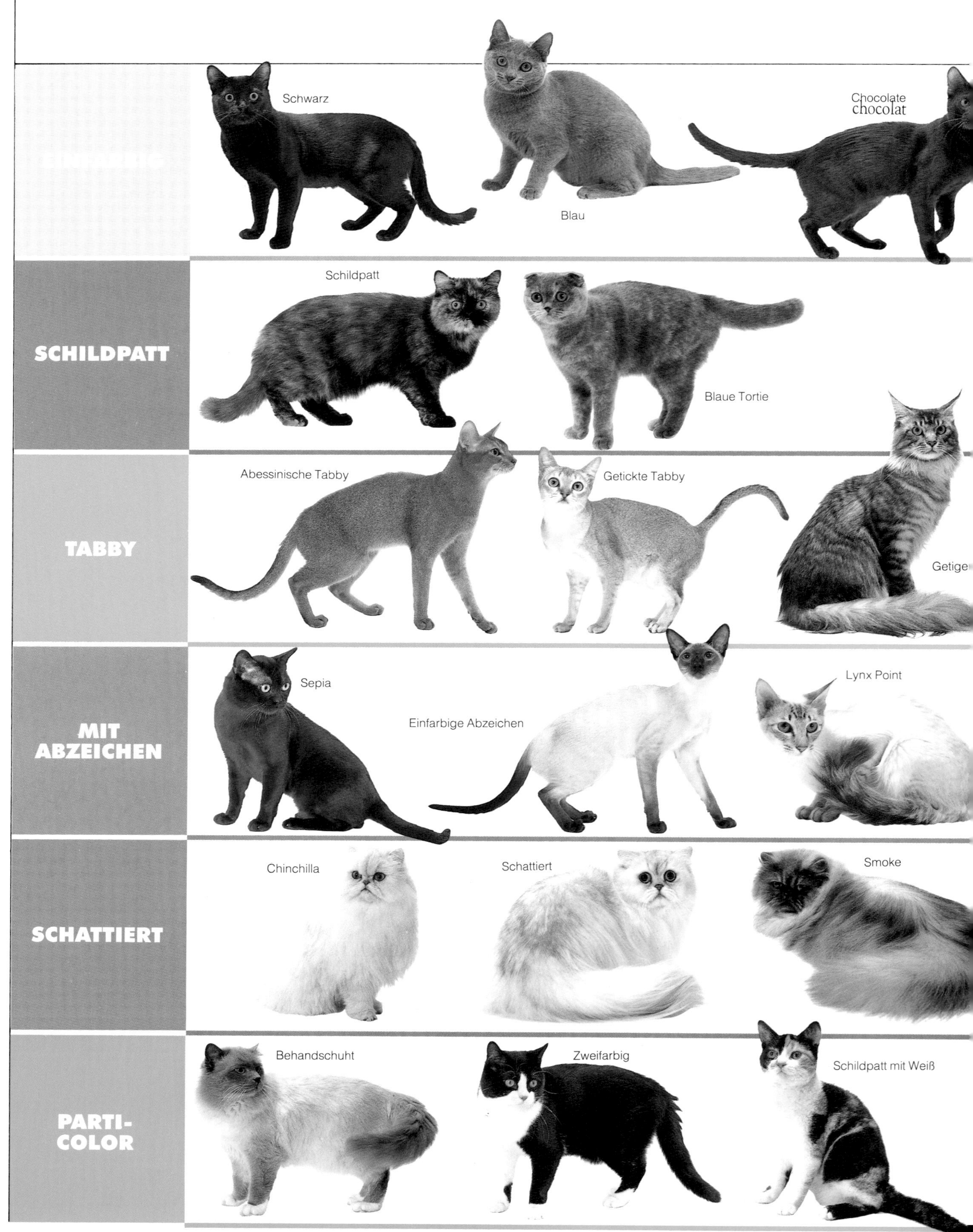

Katzen sind grundsätzlich Tabby. Das Vorhandensein verschiedener Gene bringt Varianten wie Einfarbig, Schildpatt, mit farbigen Abzeichen oder schattiert hervor. Ist das dominante weiße Gen vorhanden, so wird die junge Katze parti-colored sein, aber als Erwachsene rein weiß.

Augenfarben

Die Genetik der Augenfarben ist noch nicht völlig klar. Die Augenfarbe ist keine Substanz, sondern beruht auf einer Lichtspiegelung auf verschiedenen Materialien. Melanin ist für den Unterschied der Augenfarben verantwortlich: seine Konzentration, die Form seiner Körnchen. Die Augenfarbe wird bestimmt durch Melanin oder Melaninmangel vor oder hinter der Iris.

Blaue Augen ergeben sich, wenn vor der Iris das Pigment fehlt und hinter der Iris. bräunliches Melanin verstreut ist; der optische Effekt von Blau beruht auf der Widerspiegelung und Ausstreuung der Lichtstrahlen.

Grüne Augen ergeben sich, wenn vor der Iris braunes oder gelbes Pigment vorhanden und hinter ihr bräunliches Melanin verstreut ist. Gelbes Pigment liegt dabei vor einem «blauen» Hintergrund, so daß Grün entsteht. Die Nuance des Grün hängt von der vorne deponierten Menge und Art des Melanins ab.

Haselnußbraune Augen entstehen, wenn vor und hinter der Iris ein wenig mehr Pigment deponiert ist, so daß sich ein Graugelb oder ein grüngeflecktes Gelb ergibt.

Kupferne, goldene oder orangefarbene Augen ergeben sich, wenn die Vorderseite der Iris mit Pigment gefüllt ist. Man kann keine Widerspiegelung sehen, weil die Iris zum Teil oder völlig undurchsichtig ist.

Weißfleck- und Point-Gene erzielen eine blaue Wirkung, das Mink-Gen verhindert volle Färbung und zerstreut die Farbkörnchen, die Wirkung ist dann blaugrün; das Sepia-Gen verhindert volle Pigmentierung, die Wirkung ist golden.

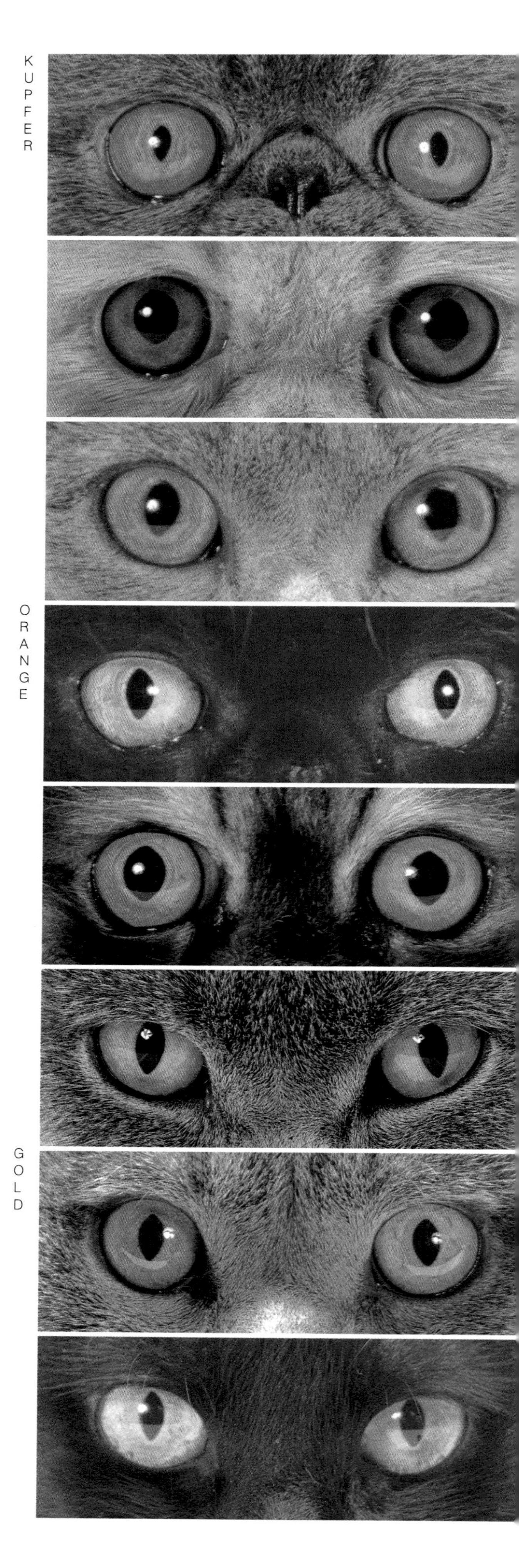

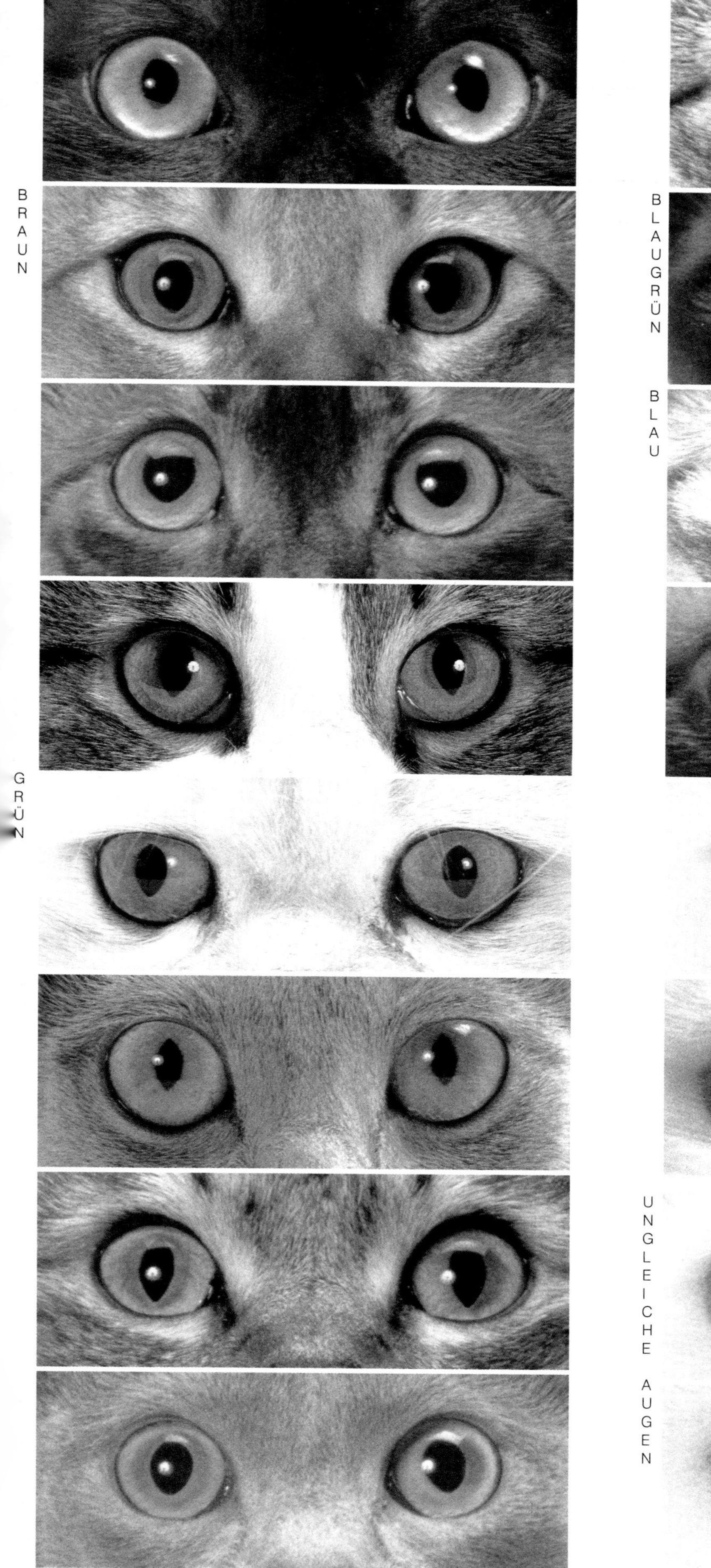
BRAUN
GRÜN

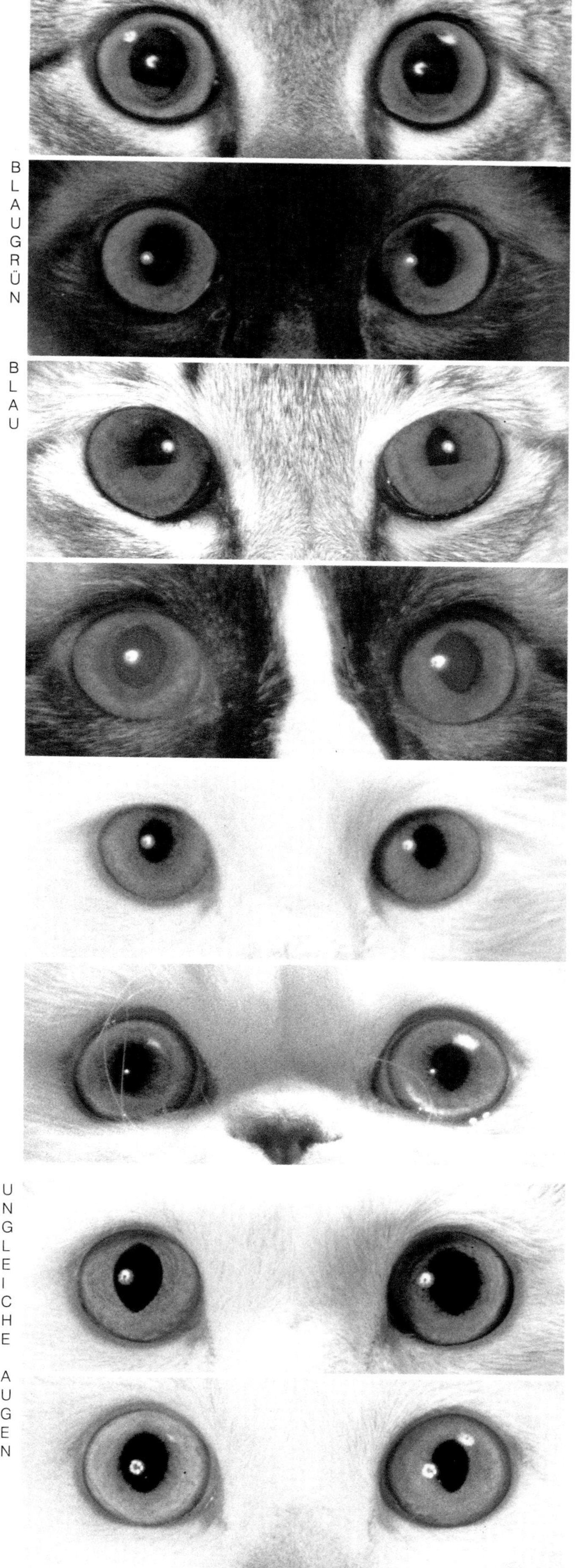
BLAUGRÜN
BLAU
UNGLEICHE AUGEN

Abessinier
Somali
American Curl
Amerikanisch Kurzhaar
Amerikanisch Drahthaar
Birma
Britisch Kurzhaar
Burma
Bombay
Kartäuser
Cornish Rex
Devon Rex

DAS PROFIL DER KATZE: 37 RASSEN

Ägyptische Mau
Havanna
Japanese Bobtail
Korat
Maine Coon
Manx
Cymric
Norwegische Waldkatze
Ocicat
Perser
Exotisch Kurzhaar
Colourpoint
Ragdoll
Russisch Blau
Scottish Fold
Langhaar Scottish Fold
Siamese
Balinese
Orientalisch Kurzhaar
Orientalisch Langhaar
Singapura
Sphynx
Tonkinese
Türkisch Angora
Türkisch Van

Alter und Geschlecht sind bei jedem Katzenporträt angegeben. ♂ 3.10 würde bedeuten, die Katze sei drei Jahre und zehn Monate alt und männlich.

Abessinier/Somali

Die Abessinier gleicht einem kleinen Puma, und die Somali sieht wie ein roter Fuchs aus. Wildfarbene Katzen haben eine strahlende, funkelnde Tönung, Sorrelkatzen ein flammendes gebranntes Orange, blaue eine Mischung von rötlichem Beige und Hafermehlfarbe. Diese eleganten, königlichen Tiere sind in der Welt der Katzenliebhaber Aristokraten; geschmeidig und pantherähnlich wenn in Bewegung, von vornehmer Erscheinung und mit der Grazie eines Tänzers begabt. Die großen, mandelförmigen Augen verzaubern jeden, der in sie schaut.

Ursprung
Die Abessinier könnte sehr wohl eine der ältesten Katzenrassen sein, aber wie bei so vielen unserer registrierten Rassen ist der genaue Ursprung unbekannt. Manche glauben, Abessinier stammten direkt von der Heiligen Katze Ägyptens ab. Altägyptische Zeichnungen und Statuen sind denn auch der Abessinier und der Ägyptischen Mau sehr ähnlich. Nach einer Geschichte haben Soldaten, die im 19. Jahrhundert aus Äthiopien (Ägypten) nach England heimkehrten, Katzen mitgebracht; daher der Name Abessinier.

Die heutige Abessinier ist sorgfältig auf Farbe, Zeichnung und Körpertyp hin gezüchtet worden. Sie hat einen langen Rumpf, große Ohren und Augen und ein glattes, federndes Fell.

Aguti-Zeichnung
Abessinier und Somali sind nur mit Aguti-Tabby-Mustern zugelassen. Das Gen ist anderen Tabby-Zeichnungen gegenüber dominant; es läßt am wenigsten von der Tabby-Zeichnung sehen, von der nichts auf dem Rumpf

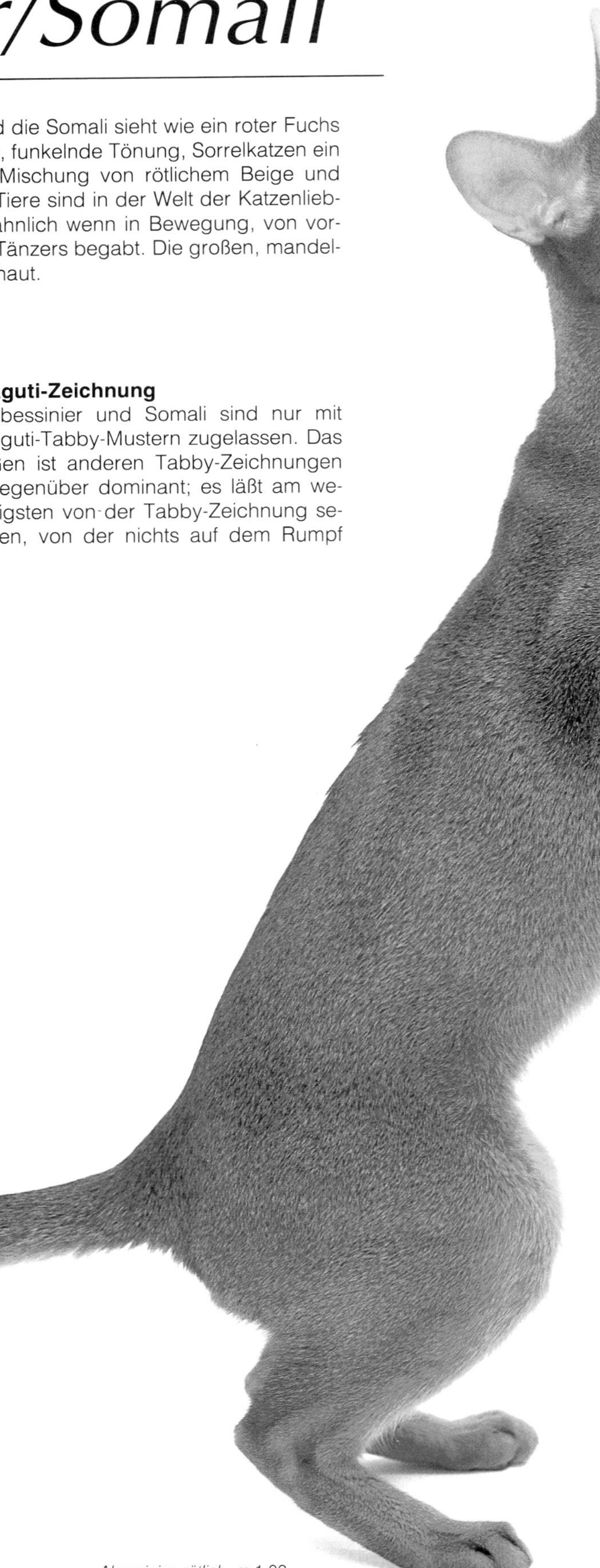

Abessinier: Kopf modifizierter Keil, gerundete Umrisse. Ohren groß. Augen groß, mandelförmig. Fell Kurzhaar. Zeichnung Aguti Tabby. Farben: Rötlich, Sorrel, Blau oder Fawn-beige.

Abessinier, rötlich, ♂ 1.02

Abessinier, rötlich

vorhanden sein soll. Die Tabby-Zeichnung zeigt sich auf dem Kopf in Form von Bleistiftlinien, Kopfstreifen und des unvermeidlichen «M» auf der Stirne. Dieses Gen ist allerdings auch verantwortlich für die Ringe an Beinen und Schwanz und für Halsbänder, obschon all diese bei Abessiniern und Somali streng verboten sind. Strenge Zuchttechnik war nötig, um diese Merkmale auszumerzen. Weiße Medaillons am Hals und in der Leistengegend können die Katze disqualifizieren. Ein Mäusefell, bei dem die Haare nahe der Haut dunkel sind, sieht man ebenfalls ungern. Schlimmer noch ist umgekehrtes Tipping (wobei die äußerste Haarspitze hell statt dunkel ist); eine solche Katze wird sofort disqualifiziert.

Abessinier, Sorrel, ♂ 1.04

Abessinier Blau ♂ 4.01

Farbe und Zeichnung
Die Katze ist nicht einfarbig; sie weist stets wechselnde Schichten verschiedener Farben auf. Die Farbe hüpft herum; es gibt keine einzelne, auf der das Auge ruhen könnte, sondern ein dauerndes Schillern, wenn die Katze sich bewegt. Der Bauch zeigt ein schönes, warmes, reiches Orange ohne Agutigebänderte Haare.

«Daumenabdrücke» sind auf der Ohren-Rückseite zu sehen, ein Relikt aus der Wildnis, das die Katze schützt, wenn sie schläft. Die Markierungen sehen wie Augen aus, so daß die Katze wach scheint.

Wildfarbener Abessinier

Somali Fawn ♂ 2.06

Beige
Die verdünnte Fawn-Zimtfarbe ist die neueste zugelassene Färbung. Sie ist sehr subtil; das Auge kann die Aguti-Bänderung kaum erkennen. Sie ist warm lederfarben mit rötlichem Hauch und wirkt überpudert; getickt ist sie in derselben, etwas dunkleren Farbe. Zur rehbraunen Grundfarbe wurde auch der Fuchsrot-Faktor eingekreuzt, so daß sich eine zart warme, weiche Farbe ergab. Man muß das gesehen haben!

Blau
Die blaue Abessinier trägt eine einzigartige Farbe und scheint einem Science-Fiction-Roman entsprungen. Sie ist mit abwechselnden Bändern von tiefem Blau und Aprikosenrot getickt. Die Katze erscheint erst seit kurzem auf den Katzen-Konkurrenzen, obwohl die Farbe schon seit langem im Genpool war. Frühe amerikanische Züchter erzielten in den gleichen Würfen wildfarbene und blaue Kätzchen. Die blauen gefielen nicht sehr und wurden als «unerwünscht» erklärt. Züchter vermieden nun tunlichst die Farbe, und seit Jahren wurde ihre Anerkennung nicht verlangt. Aber jetzt können bei einigen Verbänden blaue Abessinier Champions werden.

Fell
Nur die Abessinier hat das leuchtende Kurzhaarfell, das aus Fuchsrot-Bänderung und eumelanistischem Ticking besteht. Das Fuchsrot-Gen verändert trübes Beige-Gelb zu leuchtender Aprikosenfarbe. Die rote Abessinier sieht tatsächlich rot aus. Rot ist aber eine irreführende Bezeichnung, denn es läßt denken, daß die Katze vom geschlechtsgebundenen roten Gen bestimmt ist. Das ist nicht der Fall. Besäße die rote Abessinier das geschlechtsgebundene rote Gen, so wären einige Kätzchen aus einer Paarung von Wildfarben und Rot Torbies, in Wirklichkeit ergeben sich aber wildfarbene oder rote Kätzchen, keine Torbies. Schaut man die Farbe an der Schwanzspitze genau an, so findet man Spuren der Tabby-Zeichnung. Bei einer roten Katze ist sie zimtfarben. Außerdem produziert ihre rote Farbe, verdünnt, ein Fawn-Beige, nicht Cremefarbe. Deshalb einigte sich die TICA darauf, die Katzenfarbe Sorrel zu nennen.

Somali

Die Somali ist der «rote Fuchs» der Katzen. Sie zeigt dasselbe lebhafte und intelligente Interesse für ihre Umgebung wie die Abessinier. Sie hat ein volles, glänzend gefärbtes Fell, Luchsohrspitzen und einen langen, buschigen Schwanz. Das Fell fühlt sich sehr weich an. Es sollte dicht und doppelt sein. Die Katze entwickelt, wie alle Langhaarkatzen, das Tipping nur sehr langsam, worauf bei Kätzchen und jungen Erwachsenen Rücksicht zu nehmen ist.

Die Somali ist die Halblanghaar-Variante der Abessinier. Sie sollte den gleichen Körpertyp haben. Einige Verbände lassen allerdings den halbfremdartigen Körpertyp zu; ihrer Ansicht nach sollte der Körperbau in der Mitte zwischen Cobby (gedrungen) und den langen, schlanken Typen liegen.

Allgemeine Beschreibung und richterliche Beurteilung

Die Abessinier und Somali gehören zu den am schwierigsten zu richtenden Rassen, da sie keine hervorstechenden Merkmale haben. Der Kopf sollte eine modifizierte Keilform mit sanft gerundeten Umrissen aufweisen. Die Ohren müssen groß sein. Die großen, ausdrucksvollen, mandelförmigen Augen sollten schräg zur Ohrenbasis hinweisen. Der Körpertyp sollte fremd und gut entwickelt sein, aber dennoch schlank scheinen. Die Katze steht auf hohen, schlanken Beinen. Die Hinterbeine sind ein wenig länger als die Vorderbeine und der Rücken sanft gekrümmt, als ob die Katze springen wollte. Das Fell ist elastisch, von feiner Textur und glänzt.

Charakter

Abessinier und Somali sollten wie Wildkatzen aussehen, aber ihr Charakter ist sanft und liebevoll. Sie sind ausgezeichnete Gesellschafter und sind ruhig, nicht übertrieben «gesprächig», selbst nicht, wenn sie rollig sind. Diese Katzen sind sehr neugierig; nichts ist zu klein, um untersucht zu werden. Die ganze Umgebung interessiert sie aufs höchste, und sie lieben es zu klettern, aber sie verschieben oder zerbrechen nur selten etwas, selbst wenn sie zwischen den Sachen im Slalom gehen. Die lose Haut hilft ihnen, aus engen Spalten und menschlichen Händen zu entkommen. Sie mögen keine Käfige; sie gehen darin auf und ab wie ein Wildtier. Sie sind wundervolle Katzen, die der Lieblingsperson die Wünsche von den Augen ablesen.

Somali: Kopf modifizierter Keil, runde Umrisse. Ohren groß, Augen groß, mandelförmig. Körpertyp fremdartig. Zeichnung Aguti-Tabby. Farben: wildfarben, Sorrel, blau oder fawnbeige.

Somali Sorrell ♀ 2.11

American Curl

Die American Curl ist anders als alle anderen Rassen: Sie hat unschuldige Augen, aber ihre Ohren erinnern an Teufelshörnchen.

Ursprung
Diese Rasse entstand aus einer Mutation der Hauskatze. 1981 wurde in Kalifornien ein Weibchen gefunden, dessen Ohren nicht gerade waren wie die anderer Katzen, sondern zurückgebogen. Eine Familie sah sie hinter dem Haus eines Nachbarn und adoptierte sie. Sie waren von ihr ganz hingerissen und tauften sie Shulamit. Ihre Kätzchen wurden an Züchter verteilt, deren Zuchtplan die Bewahrung der zurückgebogenen Ohren, die Schaffung eines eigenen Körpertyps und die Erweiterung des Genpools vorsah.

Die langhaarige American Curl nahm erstmals 1983 an einer Katzenschau teil; ab 1987 war sie zu Championship-Wettbewerben zugelassen. Katzenzüchter hatten noch nie so etwas gesehen, und die American Curl eroberte die Welt der Rassekatzen im Sturm.

In einem Wurf, der durchschnittlich vier bis acht Kätzchen umfaßt, können 50% Curls sein. Curl-Kätzchen sind vier bis sieben Tage alt, wenn ihre Ohren sich verfestigen und nach rückwärts umbiegen. Mit etwa sechs Wochen beginnt eine Übergangsphase; die Ohren entrollen sich langsam. Mit fünf bis sechs Monaten sind die Ohren wieder permanent zurückgebogen, obschon der Entrollungsvorgang noch nicht abgeschlossen ist.

Der Knorpel im Unterohr ist fest, sogar steif anzufühlen. Hat man dies einmal gesehen und ertastet, wird man das Merkmal niemals verwechseln. Die gerollten Ohren und ausdrucksvollen Augen ergeben einen einzigartigen Anblick. Die Rasse ist schön anzusehen und vergnüglich zu halten.

American Curl schwarz ♀ 1.07

American Curl schwarz-weiß ♂ 0.11

ərican Curl
ıngetigert mit Weiß ♂ 0.05

American Curl: Kopf modifizierter Keil, runde Umrisse. Ohren mittelgroß, zurückgebogen. Augen groß, walnußförmig. Körper halbfremdartig. Fell Halblanghaar.

American Curl Shorthair schwarz ♂ 1.02

Allgemeine Beschreibung und richterliche Beurteilung

American Curls sind halbfremde, halblanghaarige Katzen. Der Kopf ist ein modifizierter Keil mit gerundeten Konturen. Die festen Ohren werden aufrecht getragen, sind an den Kopfekken angesetzt und biegen sich in sanfter Kurve vom Gesicht weg zum Zentrum der Kopf-Hinterseite. Die walnußförmigen Augen sind groß und ausdrucksvoll.

Die Katze ist mittelgroß und kann zwei bis drei Jahre brauchen, bis sie ausgewachsen ist. Der Körper sollte nicht gedrungen oder grobknochig sein, aber auch nicht fein und schlank bemuskelt; er soll dem halbfremdartigen Typ angehören. Die Beine sollten mittellang sein, die hinteren etwas länger als die vorderen.

Das Fell ist halblang und liegt flach, nicht buschig. Momentan ist nur die Langhaar zu Championship-Wettbewerben zugelassen; die Kurzhaar werden in der Klasse der Katzen von neuer Rasse oder Farbe gezeigt. Langhaar American Curls können registriert und in beliebigen Farben mit beliebiger Zeichnung ausgestellt werden.

Charakter

American Curls sind sehr gesunde und herzhafte Katzen. Sie sind intelligent und verspielt, aber sanft, richtige Familienkatzen. Sie sind liebevoll und streichen gern am Kinn ihrer Leute vorbei oder reiten auf ihren Schultern. Sie mögen auch gröbere Spiele und sind gerne mit Kindern zusammen. Sie können auch ruhig sein und nachdenklich aussehen, bleiben aber stets äußerst neugierig auf ihre Umgebung. Sie brauchen wenig Fellpflege, denn ihr Fell verfilzt selten. Sie lassen sich leicht erziehen, zum Beispiel an der Leine zu gehen oder zu apportieren. Sie bleiben ihr Leben lang launisch und hören mit Spielen jahrelang nicht auf, so daß man von ihnen sagt, sie würden nie erwachsen.

American Curl Shorthair Seal Lynx Point ♂ 0.09

Amerikanisch Kurzhaar/Ame

Die Amerikanisch Kurzhaar ist die «eingeborene» amerikanische Kurzhaarkatze. Sie hat sich willig den Bedürfnissen des Menschen angepaßt und dabei ihre angeborene Intelligenz nie verloren. Sie ist eine starke Katze von hohem Stolz und gesundem Verstand. Die Amerikanisch Drahthaar wird von manchen «Schmirgelputzkissen» genannt. Ihr Körperbau gleicht dem der Amerikanisch Kurzhaar; ihr Fell fühlt sich rauh und hart an, und jedes Haar ist an der Spitze umgebogen.

Ursprung
Man glaubt, die Rasse stamme von den Hauskatzen ab, die mit den ersten Pilgern oder Siedlern aus Großbritannien kamen. Die später folgenden Immigranten brachten bestimmt weitere Katzen, da man sie für die Bekämpfung der Nager auf See oder an Land brauchte. Diese Katzen ließen sich in Nordamerika zusammen mit den Pionieren nieder; sie durften sich kreuzen, wie sie wollten. Ihr Nachwuchs war stark und gesund, paßte sich klimatischen Extremen leicht an und war fähig, wild zu überleben.

American Shorthair: Kopf rund, Schnauze quadratisch, schwacher Stop. Ohren mittelgroß, weit auseinander. Augen mittelgroß bis groß, rund. Körpertyp halbgedrungen. Fell Kurzhaar.

Die erste eingetragene Katze im Stammbaum der American Shorthair kam aber aus England, sie war am 1. Juni 1900 geboren worden. Später sandte man aus Großbritannien eine weitere Katze nach den USA. Die beiden wurden mit einheimischen Amerikanisch Kurzhaar gekreuzt. Die Nachkommen der Nachkommen trugen erstmals den Namen Kurzhaar. Später hießen sie Hiesige Kurzhaar, und 1966 erhielten sie ihre alte Bezeichnung zurück. 1904 wurde die erste Katze dieser Rasse, eine männliche Smoke, registriert. In den folgenden Jahren arbeiteten die Züchter daran, Körpertyp, Farben und Zeichnung festzulegen. Besonders in den dreißiger und vierziger Jahren kam man damit gut voran, da sich mehr Züchter für die Vervollkommnung der Rasse interessierten.

In Anpassung an den natürlichen Genpool der Amerikanisch Kurzhaar kreuzte man sie während Jahren mit Katzen unbekannten Stammbaums und ließ sie sich nach der Laune der Natur unter minimaler Einwirkung des Menschen entwickeln. Leider ist das bei den meisten Verbänden nicht mehr so. Die Amerikanisch Kurzhaar hat nur eine einzige Abart, die von TICA anerkannt wird: die Amerikanisch Drahthaar.

Amerikanisch Kurzhaar, Klassische Silbertabby ♀ 0.07

anisch Drahthaar

Amerikanisch Kurzhaar, Klassische Silbertabby ♂ 2.09

Allgemeine Beschreibung und richterliche Beurteilung

Diese Katze ist eine Arbeitskatze; sie hat die volle Geduld des Jägers und die Kraft eines Athleten, sie ist flexibel genug, um sich ihrer Beute langsam zu nähern und sie schnell zu töten. Ihre kräftigen Beine werden mit jedem Terrain fertig. Die starke Schnauze ist lang genug für den Fang mit Stahlfallen-Kiefern. Das Fell bewährt sich bei jedem Wetter, ist dicht und schützt die Katze vor Regen, Kälte und Hautverletzungen, aber weil es kurz und hart ist, verfilzt es nie und verfängt sich auch nicht im Buschwerk. Kein Teil ihrer Anatomie ist extrem. Der allgemeine Effekt ist der eines guttrainierten Sportlers mit mageren, harten Muskeln und großen Kraftreserven. Die Weibchen sind manchmal etwas weniger massiv gebaut als die Männchen.

Mittel, stark und schwer sind die Schlüsselbegriffe. Der Kopf ist breit und rund, mit vollen Wangen und einer mittelkurzen, ungefähr quadratischen Schnauze, die gut gepolstert sein sollte. Wenn die Wangen nicht rund und die Schnauze nicht quadratisch ist, sieht das Gesicht zu schmal aus für die Erscheinung der American Shorthair. Die mittelgroßen Ohren sind weit auseinandergesetzt, ebenso die mittelgroßen bis großen Augen. Im Profil sieht man eine sanfte Kurve von der Stirn bis zur mittelgroßen Nase. Es sollte kein «Break» vorhanden sein wie bei den Persern.

Der rechteckige Körper ist mittellang bis lang, mit mittelstarkem Knochenbau, muskulös und kräftig. Die Beine sind mittel- bis mäßig lang. Das «Allwetter»-Fell ist kurz, hart, dicht, glänzend und eng anliegend. Es sollte kei-

Amerikanisch Kurzhaar, Klassische Silbertabby

Amerikanisch Kurzhaar, Klassische Brauntabby ♂ 0.10

ne Spur wolliger oder flaumiger Unterwolle aufweisen, was auf einen Perser im Hintergrund schließen ließe.

Silbertabby

Die Silbertabby-Zeichnung hat bei den meisten Amerikanisch Kurzhaar Vollkommenheit erreicht; sie ist ein atemberaubender Kontrast zwischen Schwarz und funkelndem Silber. Wird das Haar geteilt, zeigt sich eine silberweiße Grundfarbe. Das klassische Tabby-Muster ist ein Wirbel von Farbe, umrandet von kühnen, breiten Streifen. Die Ringe auf dem Schwanz sind meist breit. Das Silbergen hat die gesamte gelbe Grundfarbe ausgemerzt,

Amerikanisch Kurzhaar, Klassische Rottabby ♂ 0.11

so daß der funkelnd weiße Grund entstand.

Manchmal zeigt sich eine unerwünschte «Trübung» (wenn das Gelbbeige anderer als Silbertabbies durchbricht) bei manchen Silbertabbies, besonders in der Schnauzengegend von Katzen ohne Stammbaum. Die Züchter bemühen sich, diese Trübung aus dem Genpool zu vertreiben.

Silbertabby ist die akzeptierte Bezeichnung für den Schwarz- und Silbertabby. Früher konnte nur diese Katze sich um den Championtitel bewerben. Aber jetzt sieht man die Silbertabby auch in Blau, Chocolate, Fawn-Beige, Rot und Creme. Es ist auch jede sonst anerkannte Tabby-Zeichnung zugelassen.

Amerikanisch Kurzhaar, Klassische Cremetabby ♂ 0.08

Charakter

Die Amerikanisch Kurzhaar geben köstliche Heimtiere ab. Sie sind intelligent, freundlich, liebevoll, gesund und haben ein ausgeglichenes Temperament. Sie sind angenehm anzusehen, zu halten, zu berühren, und man verständigt sich leicht mit ihnen. Es ist eine liebe Katze und wie die Maine Coon und die Norwegische Wildkatze sanft und entspannt, weich und stark. Ihr Jagdinstinkt ist so ausgeprägt, daß sie sogar im Heim das Jagen übt.

Amerikanisch Kurzhaar
Schattierte Chocolate
♂ 5.09

Amerikanisch Drahthaar

Ursprung

Die Amerikanisch Drahthaar beruht auf einer Mutation, die das normale glatte Fell zu einem Fell umwandelte, das nicht nur dicht und elastisch ist, sondern auch grob und hart anzufühlen. Die Deckhaare sind an der Spitze hakenförmig umgebogen.

Ein Paar Bauernkatzen im Staat

Amerikanisch Kurzhaar
Schwarz ♀ 3.06

Amerikanisch Drahthaar, Schildpatt mit Weiß ♀ 0.09

New York bekam 1967 einen Wurf drahthaariger Kätzchen. Die Züchter folgten einem sorgfältigen Zuchtplan, indem sie als erstes das drahthaarige Männchen (sein Name war Adam) mit einem glattfelligen Wurfgeschwister kreuzten. Nach zwei Generationen wurde 1969 ein «echtes» Drahthaarkätzchen geboren. Alle Amerikanisch Drahthaar stammen von Adam ab. Um Körpertyp und Vitalität zu verbessern, kreuzten die Züchter Amerikanisch Kurzhaar ein.

Richterliche Beurteilung
Der gegenwärtige Standard weicht von demjenigen für Amerikanisch Kurzhaar nur wenig ab, mit Ausnahme der Fellbeschaffenheit. Aber manche amerikanischen Züchter möchten eine Katze erzielen, die etwas kleiner wäre als die Kurzhaar.

Charakter
Charakteristisch für die Amerikanisch Drahthaar sind ihre Aktivität, ihre Beweglichkeit und ihr lebhaftes Interesse für ihre Umgebung. Es sind Herrschertypen, die sich von anderen Katzen nichts gefallen lassen.

Amerikanisch Drahthaar: Kopf rund, Schnauze quadratisch, leichter Stop. Ohren mittelgroß, weit auseinander. Augen mittelgroß bis groß, rund. Körpertyp halbgedrungen. Fell Kurzhaar, Drahthaar.

Amerikanisch Drahthaar Schildpatt mit Weiß ♀ 1.00

Birma

Die blauäugige Birma ist auch als Heilige Birmakatze bekannt. Viele Legenden und Geheimnisse umgeben den Ursprung dieser Rasse. Diese majestätischen und augenerfreuenden Katzen sind nicht nur als Tempelhüter heilig, sondern auch für ihre Eigner heilig und einmalig.

Ursprung
Die Theorien über den Ursprung der Birma besagen, sie seien aus Südostasien gekommen, oder die Franzosen hätten sie speziell gezüchtet, oder die Seele eines Priesters sei in die Katze eingegangen und habe die Körperfarbe zu Gold und die Augen zu strahlendem Blau gewandelt.

Es heißt, die Birma sei 1916 aus Südostasien eingeführt worden. 1925 wurde sie von der Fédération Féline Française als Rasse akzeptiert. Man glaubt, die meisten «heiligen Birmakatzen» stammten von der kleinen Katzenbevölkerung von Französisch Birma ab. Die Rasse gilt als französisch, obwohl nicht aus Frankreich stammend.

Die Rasse war gefährdet, als im Zweiten Weltkrieg nur ein einziges Paar überlebte. Um sie zu retten, wurden andere lang- und kurzhaarige Katzen mit der Birma gekreuzt. Die ersten Birma, die exportiert wurden, gelangten 1959 nach Amerika und 1965 nach Großbritannien. Die Birma wurde 1967 von der amerikanischen Cat Fanciers' Association anerkannt und ist heute fast in der ganzen Welt bekannt.

Birma Seal Point ♂ 2.04

Die Legende von der Heiligen Katze
In einem Tempel am Hang des Berges Lugh lebte einst ein sehr alter Priester. Er trug einen langen, goldenen Bart, von dem man sagte, der Gott Song Hio habe ihn geflochten. Sein Leben war dem Dienst von Tsun-KyonKse gewidmet, der Göttin mit den saphirblauen Augen. Diese Göttin wachte über die Wanderung der Seelen und erlaubte einigen, im Körper eines heiligen Tiers zu leben. Die Lieblingskatze des Priesters, Sinh, war stets in seiner Nähe. Sinh war eine weiße Katze mit gelben Augen, und ihre Ohren, Nase, Schwanz und Beine waren dunkel wie die Erde.

Eines Tages kamen ein paar böse Männer zum Tempel und ermordeten den Priester. Da geschah das Wunder: mit einem Satz sprang Sinh auf den Thron und setzte sich neben den Kopf ihres toten Herrn. Als sie so dasaß, wurden die struppigen weißen Haare auf ihrer Wirbelsäule plötzlich gelbgolden, und ihre goldenen Augen wurden blau. Der Teil ihrer Pfoten, die den Priester berührten, blieb weiß.

Die Legende besagt, daß die Seele eines verstorbenen Priesters in den Körper einer Katze übergeht, und wenn die Katze stirbt, darf die Seele des Priesters in den Himmel eingehen.

Die Geschichte geht traurig weiter: Die nächsten sieben Tage rührte die treue Katze keine Nahrung an, und am siebenten Tag starb sie: sie wußte, daß ihr Tod ihrem Herrn den Himmel öffnete. Seither haben alle Tempelkatzen einen goldenen Mantel und blaue Augen. Auch die Birma hat das heute und dazu weiße Füße.

Allgemeine Beschreibung und richterliche Beurteilung

Die Birma ist eine Halblanghaar-Katze mit gefärbten Körperspitzen. Sie fällt durch ihre weiß behandschuhten Pfoten auf. An den Hinterbeinen sollte das Weiß bis zum Rücken reichen. Die Katze hat eine sogenannte «römische» Nase mit tief angesetzten Nüstern und eine flache Stirn. Die hohen Backenknochen bringen die großen, fast runden blauen Augen zur Geltung.

Die Birma ist eine imposante Erscheinung, mittelgroß bis groß, mit schwerem Knochengerüst. Birma werden als Particolor-Points anerkannt, aber nur mit weißen Handschuhen. Nur Birma mit vollkommener oder beinahe vollkommener Zeichnung werden ausgestellt.

Charakter

Birma sind wundervoll zu halten. Ihr seidiges Fell verfilzt nicht, so daß man sie selten bürsten muß. Sie sind oft schon mit sieben Monaten geschlechtsreif. Mit ihren nachdenklichen, lieben Augen vermitteln sie den Eindruck ruhiger Kraft und Harmonie. Birma haben gern Gesellschaft, besonders diejenige kleiner Kinder, und scheinen weit häufiger zufrieden als zornig. Die Rasse ist robust, soll nicht krankheitsanfällig sein und lebt ebensogut auf dem Land wie in der Stadt.

Birma Frost Point ♀ 0.11

Birma: runder Kopf, römische Nase, deutlicher Stop. Ohren mittelgroß, weit auseinander. Augen groß, rund, weit auseinander, blau. Körper mittellang, stattlich. Fell Langhaar. Zeichnung Particolor Point (weiß behandschuht).

Birma Blue Point ♂ 0.11

Britisch Kurzhaar

Die Britisch Kurzhaar ist eine sehr kräftige, muskulöse Katze mit kurzem, plüschähnlichem Fell. Die Rasse entstand in Europa aus stammbaumlosen Katzen.

Britisch Kurzhaar schwarz-weiß ♂ 1.01

Ursprung
Der Ursprung der Britisch Kurzhaar ist der der einheimischen Arbeitskatzen, der Straßen- und Scheunenkatzen Englands. Die frühe Britisch Kurzhaar und der französische Kartäuser hatten einen ähnlichen Körpertyp; viele Züchter glauben, dieselbe Katze sei der Ursprung beider Rassen. Heute haben sich die Züchter sehr bemüht, zwei verschiedene Rassen zu erzielen, die getrennt gerichtet werden.

Ahnen der Britisch Kurzhaar überlebten Jahre des Aberglaubens und der Verfolgung in vergangenen Jahrhunderten, als Tausende von Katzen umgebracht wurden. Es ist ein Wunder, daß diese prächtige, liebe Katze noch da ist und die ganze Welt erfreut.

Viele Kurzhaar wurden an der berühmten Crystal-Palace-Ausstellung 1895 gezeigt. Sie waren an Ausstellungen etwa ein Jahr lang die Stars, dann wurden sie von den Persern abgelöst. Britisch Kurzhaar blieben bis in die dreißiger Jahre unbeachtet; dann nahm sich eine Gruppe leidenschaftlicher Züchter ihrer an. Mr. Harrison Weir, einer der ersten Katzenexperten, schrieb: «Die ursprüngliche Gartenkatze hat jedes Ungemach und jede Verfolgung überstanden. Daß es sie überhaupt gibt, zeugt für ihre Charakterstärke und Ausdauer.»

In den Vereinigten Staaten nannte man die ersten Britisch Kurzhaar «Blues», denn Blau war die einzige erlaubte Farbe. Sie waren nicht so detailliert beschrieben wie heute und gewannen eher aufgrund ihrer Größe und ihres Plüschfells als wegen ihres Körpertyps. In den siebziger Jahren erregte eine Katze namens Mary Poppins Aufmerksamkeit. Sie war eine blaue Tortie, viel kleiner als andere ihrer Rasse, aber sie hatte die gewünschte Erscheinung: volle Wangen, eine runde Schnauze und war lieb und hübsch.

Allgemeine Beschreibung und richterliche Beurteilung
Die Britisch Kurzhaar ist mittelgroß bis groß, kräftig, mit Halbcobby-Typ – ziemlich kurz und stark – mit breiter Brust, breiten Schultern und Hüften, kurzen, kräftigen Beinen, gerundeten Pfoten und einem dicken Schwanz. Der Kopf ist breit und rund mit festem Kinn. Die runden, vollen Wangen ver-

Britisch Kurzhaar blau ♂ 1.09

Britisch Kurzhaar: Kopf breit, rund, mit Stupsnase, Stop. Volle Wangen. Ohren mittelgroß, weit auseinanderstehend. Augen groß, rund, weit auseinanderstehend. Körper halbgedrungen. Fell kurz, plüschartig.

leihen der Katze ein molliges Aussehen. Die Augen sollten rund, groß und ausdrucksvoll sein. Die Ohren sind mittelgroß und weit auseinanderstehend. Die Nase ist breit und kurz, eine Stupsnase. Wenn die Proportionen richtig sind, sollte man den Kopf an zwei Stellen mit der hohlen Hand umfangen können: Schädel und Schnauze.

Das Fell ist kurz, dicht, fest, knisternd, voll; es sieht aus, als schütze es die Katze wirksam. Es fühlt sich wie Plüsch an und sollte an den Händen prickeln. Es ist ein Vergnügen, die Finger darüber gleiten zu lassen. Bei allen Torties dieser Rasse wird feingeschecktes Fell verlangt.

Charakter

Britisch Kurzhaar sind sehr unabhängig, aber äußerst liebevoll. Sie sind sehr wach und neckisch; sie lieben es, einem im Haus zu folgen, um sich zu vergewissern, daß man alles richtig macht. Vor allem die Kater sind äußerst menschenfreundlich, ja Schmuser. Dies ist eine äußerst ruhige, wenig gesprächige, keinen Unsinn duldende Katzenrasse; sie scheint was auch immer verkraften zu können. Britisch Kurzhaar sind leicht zu pflegen, denn ihr Fell verwirrt sich nicht und sollte nur mit leichter Hand gekämmt werden. Es sind ideale Heimtiere für nicht sehr aktive Leute ebensogut wie für geschäftige Haushalte.

Britisch Kurzhaar weiß ♂ 1.10

Burma/Bombay

Die Burma ist bei den Katzenliebhabern die goldäugige, dunkle Schönheit. Die Bombay ist für sie der schwarze Panther mit seinem Glanzlederfell und seinen Augen von der Farbe der Kupfermünzen.

Burma Sable ♂ 5.00

Ursprung

Alle heutigen Burma gehen auf eine Tonkinesin, Wong Mau, zurück, die 1930 von Dr. J. Thompson in die Vereinigten Staaten gebracht wurde. Er interessierte sich für die einzigartige Farbe Wong Maus und wollte wissen, was es damit auf sich hatte. Deshalb kreuzte er sie mit einem Seal Point Siamesen. Die Kätzchen waren teils Siamesen, teils Tonkinesen. Die Tonkinesen aus diesem Wurf, miteinander gekreuzt, und ebenso ein Sohn Wong Maus, der mit ihr gepaart wurde, brachten folgende Kätzchen hervor: eins von der dunklen Sepiafarbe, zwei Mink und eine Siamesin mit Abzeichen. Das war der Anfang der heutigen Burma-Zucht.

Die frühen Burma hatten längere Köpfe und Körper und feinere Knochen. 1947 entzog die Cat Fanciers' Association den Burma die Anerkennung für Champion-Wettbewerbe, weil sie nicht von drei Generationen von «Burma» abstammten. Erst 1953 wurden sie wieder zugelassen. Der halbfremde Typ der Burma der fünfziger Jahre blieb erhalten bis anfangs der Sechziger, als die Züchter anfingen, den Typ zur heutigen Cobbyform umzuwandeln.

Allgemeine Beschreibung und richterliche Beurteilung

Heutzutage werden Burma als Cobby-Katzen mit kurzen Schnauzen und einem «Break» auf der Nase gezüchtet. Einige Züchter arbeiten mit dem roten Gen, indem sie die europäische Burma nach den Vereinigten Staaten holten. Die Einkreuzung des roten Gens in den Genpool zeitigt cremefarbene und alle Schildpattkatzen. Das rote Sepia ist mandarinenfarbig und sehr schön. Sepia Creme ist gelbbraunes Creme.

Die Burma hat Abzeichen. Man sieht sie nicht gut auf Sable bei hellem Licht,

Burma Sable

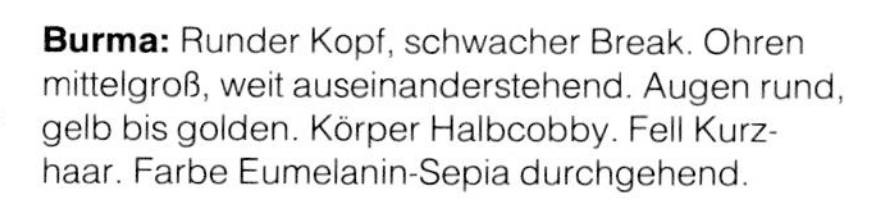

Burma: Runder Kopf, schwacher Break. Ohren mittelgroß, weit auseinanderstehend. Augen rund, gelb bis golden. Körper Halbcobby. Fell Kurzhaar. Farbe Eumelanin-Sepia durchgehend.

Diese Katzen sind äußerst ruhig. Die ganze Rasse äußert wenig Laute. Sie sind pflegeleicht; sie müssen höchstens hie und da mit einem feinzahnigen Kamm gekämmt werden, und noch mehr schätzen sie es, von der Hand ihres Besitzers abgerieben zu werden. Sie geben ausgezeichnete Heimtiere ab und sind treu und liebevoll.

Burma Chocolate ♀ 1.00

aber auf anderen Farben sind sie leichter erkennbar. Es gibt Verbände, die nur Sable anerkennen. TICA läßt bei der Burma Sable, blaues Sepia, Chocolate Sepia und Frost Sepia zu.

Der Allgemeineindruck der idealen Burma ist eine Katze mittlerer Größe mit gutem Knochengerüst, guter Muskulatur und einem bei ihrer Größe überraschenden Gewicht. Zusammen mit den ausdrucksvollen Augen und dem freundlichen Gesicht haben wir hier eine besondere Katze, keiner anderen Rasse vergleichbar. Alles an der Burma ist rund. Der Kopf sollte rund sein ohne flache Ebenen – eine gerundete Stirn und ein volles Gesicht mit einer runden, kurzen Schnauze. Zwischen den runden, gelb bis goldenen Augen sollte ein beträchtlicher Abstand sein. Im Profil zeigt sich eine deutliche Unterbrechung der Linie von Nase zu Stirn. Die mittelgroßen Ohren stehen weit auseinander.

Der gedrungene Körper sollte muskulös sein mit gut entwickelter Brust. Die Beine sind mittellang und mittelstark, mit kräftiger Muskulatur. Der mittellange Schwanz sollte nicht Peitschenform haben. Das enganliegende, kurze Fell sollte fein und glänzend sein, von satinähnlicher Textur.

Charakter

Die Burma sind wohlbekannt als anpassungsfähig. Sie leben ebensogut in einer Wohnung wie auf dem Land.

Burma Creme ♂ 1.00

Bombay: Kopf rund, schwacher Stop. Ohren mittelgroß, weit auseinanderstehend, Augen groß, rund, weit auseinanderstehend, kupferfarben. Fell Kurzhaar, durchgehend schwarz.

Bombay ♂ 1.06

Bombay

Ursprung

Die Bombays sind eine von Menschen geschaffene Rasse. Sie ergab sich 1958 aus der Kreuzung einer Burma mit einer schwarzen Amerikanisch Kurzhaar. Erst 1976 wurde sie zu Champion-Wettbewerben zugelassen. Bombays nennt man oft die kleinen schwarzen Panther; sie haben schwarzes, glänzendes Fell und runde, leuchtende, kupferfarbene Augen. Schwarz ist die einzige zugelassene Farbe. Bombays, die das Sepia-Gen haben, bringen eventuell Sepia-Kätzchen hervor. Bei TICA werden diese mit Burma zusammen gezeigt.

Bei TICA ist die Bombay nicht eine schwarze Burma. Die Bombay gleicht im Typ einer mittleren Burma; Körper und Beine sind manchmal etwas länger. Im Profil sollte die Nasenlinie einen mittelmäßigen Stop aufweisen. Der Körper ist halbgedrungen. Der Schwanz sollte weder lang noch peitschenähnlich sein. Die reife, erwachsene Katze (mindestens vier Jahre alt) sollte bis zu den Haarwurzeln schwarz sein.

Bombay ♀ 0.05

Charakter
Die Bombays haben einen lebhaften Appetit und sind gesunde Katzen. Sie sind lieb und sanft und geben ausgezeichnete, liebevolle Haustiere ab.

Bombay ♂ 0.11

Kartäuser

Die natürliche Kurzhaar-Rasse Frankreichs. Bei dieser Katze steht der massige, robuste Körperbau im Gegensatz zu ihren eher zarten Beinen. Der Kartäuser wird auch «lächelnde Katze» genannt.

Ursprung
Der Kartäuser gilt als eine der ältesten Rassen, da sie schon 1558 erwähnt wird. Die Kartäusermönche der Chartreuse sollen sie gezüchtet haben – dieselben, die wegen ihres grünen Likörs Chartreuse berühmt waren. Die Katzen wurden erstmals 1970 nach den Vereinigten Staaten gebracht.

Die Kartäuser sind eine kräftige Rasse, bekannt als gute Jäger und wegen ihres dichten, wolligen, wasserabstoßenden Fells. Das mittelkurze Haar ist so dicht, daß man es wie Schafsfell «auseinanderbrechen» kann. Es gab eine Zeit, da die Katzen nicht nur als gute Jäger, sondern um ihres Felles willen gezüchtet wurden. Die Pelze waren in der Pelzindustrie sehr geschätzt.

Um 1920 herum gab es in Frankreich nur noch wenige Kartäuser; ihnen drohte das Aussterben. Da begannen sich zwei Französinnen für die Erhaltung der Rasse zu interessieren und stellten ein Zuchtprogramm auf. Nach dreizehn Jahren wurde ihr Einsatz belohnt; eine ihrer Katzen wurde in Paris internationaler Champion.

Wie so viele andere europäische Rassen waren auch die Kartäuser im Zweiten Weltkrieg wieder gefährdet. Züchter waren gezwungen, Perser und Britisch Kurzhaar mit ihnen zu paaren, um die Blutlinien zu erhalten. 1950 gebot der Pariser Katzenclub dieser Mischpraxis Einhalt und bestimmte, daß nur Nachwuchs von zwei Kartäusern zugelassen würde.

Allgemeine Beschreibung und richterliche Beurteilung
Der stämmige, robuste Körpertyp wird manchmal «primitiv» genannt, womit gemeint ist, er habe sich von Anfang an nicht verändert. Dank seinem kräftigen Körper und seinen kurzen, schlanken Beinen ist der Kartäuser ein schneller und tödlicher Jäger.

Sollte man mit einem Wort den Kartäuser beschreiben, so wäre dies «eindrücklich». Es ist eine solide, gesunde,

Kartäuser ♀ 0.08

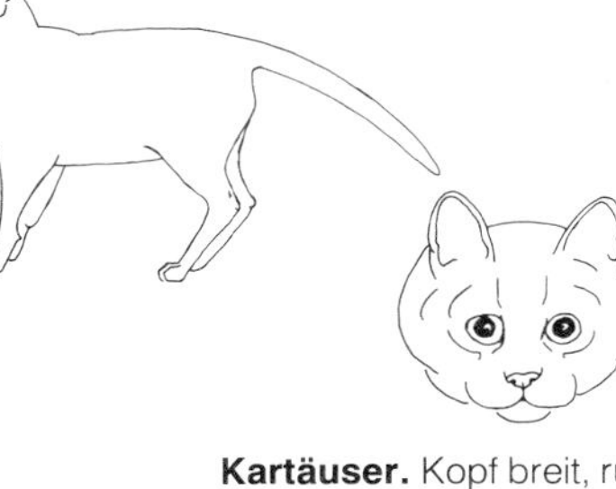

Kartäuser. Kopf breit, rund, schwacher Stop erlaubt, volle Wangen. Ohren mittelgroß, hoch angesetzt. Augen groß, rund, kupferfarben. Körper halb gedrungen. Beine feinknochig. Fell mittellang, dicht. Farbe durchgehend blau.

Charakter

Leider gibt es in Frankreich und den USA heutzutage nicht viele Kartäuser, obschon ihre Eigenschaften – ein gewisser ruhiger Stolz und eine stille Energie-Reserve – sie an Ausstellungen und im Heim hervorragend erscheinen lassen.

Ihre Augen sind die eines Überlebenskünstlers, sie enthüllen Vorsicht und ein lebhaftes Interesse für die Umgebung. Die Katze ist sanft, nimmt die Dinge, wie sie sind, empfindet jedoch alle Veränderungen, die ihr Leben beeinträchtigen könnten.

Diese Katzen sind bereit, den Herausforderungen des Alltags zu begegnen, und leben ebenso leicht in Wohnungen wie auf dem Land. Ihre Kraft, Intelligenz und Anpassungsfähigkeit haben sie befähigt, ohne menschliche Hilfe Jahrhunderte zu überdauern. Es sind große Katzen, und doch sind sie äußerst geschmeidig und lebhaft.

♂ 2.07

ausdauernde, massive Katze mit lächelndem Gesicht und riesigen, ausdrucksvollen, kupferfarbenen Augen, die einem nachgehen können. Der große Kopf ist breit mit hoher Stirn und runden Umrissen. Der Kiefer ist kraftvoll, die Wangen voll. Die Schnauze ist für die Kopfgröße eher klein, was der Katze den «lächelnden» Ausdruck verleiht. Die mittelgroße Nase ist gerade, wobei ein schwacher Stop erlaubt ist. Die mittelgroßen bis kleinen Ohren sitzen hoch auf dem Kopf ziemlich nahe beisammen.

Der große Körper ist mittellang und kräftig, mit starken Knochen und dichter, harter Muskulatur, mit breiten Schultern, einer tiefen, massiven Brust und einem schweren Schwanz. Die Beine sind mittelkurz und feinknochig; sie enden in zierlichen Füßen.

Jede Blauschattierung des Fells wird zugelassen; ein Silberschimmer ist erwünscht. Die Augenfarbe ist golden oder kupferfarben; letzteres wird bevorzugt.

Zwar sind sie «Überleber», vielleicht aber dennoch die unaggressivste aller Katzenrassen. Sie scheinen jede Situation hinnehmen zu können und sich in jeder Umgebung gut zu fühlen, solange sie menschliche Gesellschaft haben. Sie geben ausgezeichnete Haustiere ab; man kann sie lehren, an der Leine zu gehen. Ihre Stimme ist leise und zirpend wie die eines Vogels, nicht miauend wie die anderer Katzen. Alle diese Eigenschaften machen den Kartäuser zu einem einzigartigen, liebevollen Heimtier.

Cornish Rex

Die Cornish Rex ist der Windhund der Katzenwelt. Ihr weiches, gelocktes Fell gibt es bei keiner anderen Katze. Alles ist lockig, sogar die Schnurrhaare.

Ursprung
Die erste bekannte Rex wurde 1950 in Cornwall geboren; ihre Eltern waren gewöhnliche Kurzhaarkatzen. Das Fell war gelockt. Das rotweiße lockige Kätzchen namens Killibunker wurde nochmals mit seiner Mutter gekreuzt, und es kamen weitere gelockte Kätzchen auf die Welt. Man taufte sie später Rex in Anlehnung an den Namen einer Kaninchenrasse. Alle Cornish Rex stammen somit von Killibunker ab.

Die weitere Zucht ergab, daß das gelockte Fell einer echten, rezessiven Mutation zu verdanken war. Viele Rassen wurden bei der Entwicklung der Rex eingekreuzt; der Genpool ist so groß, daß fast jede Farbe und Zeichnung erzielt werden kann.

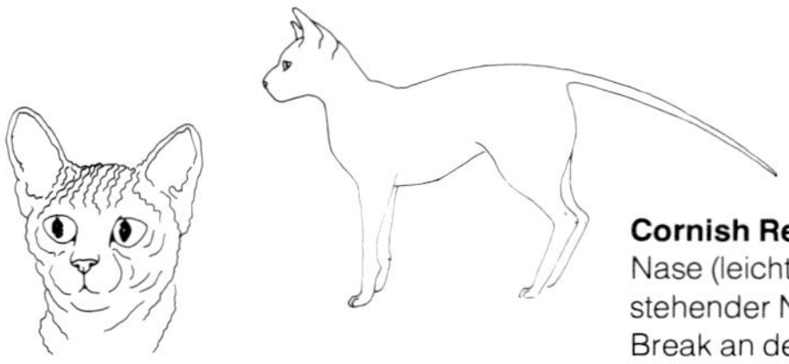

Cornish Rex: Kopf oval, römische Nase (leichter Stop zugelassen); vorstehender Nasenrücken, deutlicher Break an der Schnauze. Ohren groß, hoch angesetzt, Augen mittelgroß, oval. Körpertyp orientalisch, keine Flankentiefe. Fell gewellt, Kurzhaar.

Cornish Rex Schildpatt mit Weiß ♀ 0.07

Cornish Rex rotgetigert ♂ 0.06

Cornish Rex Chocolate Smoke ♀ 0.08

Devon Rex

1960 kam in Devon in England ein Kätzchen mit ähnlichem Fell auf die Welt. Zuerst glaubte man, diese Variante mit der Cornish Rex kreuzen zu können, aber das Devon-Rex-Gen vertrug sich nicht mit dem Cornish Rex-Gen. Paarte man die beiden, so ergaben sich nur geradhaarige Katzen. Die Mutationen fand man an verschiedenen Stellen des Chromosoms. So gingen Cornish Rex und Devon Rex je ihre eigenen Wege und wurden auf verschiedene Körpertypen und Fellarten hin gezüchtet.

Allgemeine Beschreibung und richterliche Beurteilung

Die Cornish Rex ist eine Katze fremdartigen Typs, alles ist lang und schlank. Von vielen Richtern und Züchtern wird sie als die extremste Kurzhaarkatze angesehen.

Der Schädel ist eiförmig, die Rückseite des Schädels gut gerundet, so daß die ovale Form des Kopfes betont wird, der länger ist als breit. Es sollte ein Break bei den Schnurrhaaren vorhanden sein.

Cornish Rex blau ♂ 3.03

Die Cornish Rex hat ein römisches Profil, die Linie von der Stirn zur Nasenspitze ist leicht gebogen. Manchmal zeigt sich eine leichte Richtungsänderung bei den Augen, so daß zwei konvexe Kurven entstehen statt eines kontinuierlichen Bogens. Die auffallenden, oft beinahe übertrieben großen Ohren sehen tief und konisch aus und stehen hoch auf dem Kopf. Die Augen sind mittelgroß und oval geformt; sie sind eine Augenbreite weit voneinander getrennt und stehen ganz leicht schräg.

Die Cornish Rex ist äußerst feinknochig und steht hoch auf ihren Beinen. Man nennt sie manchmal «Spinnen», weil sie so dünne Beine haben. Aber sie sind viel schwerer, als es den Anschein hat; sie müssen kräftige Hüften haben. Die Katze muß sich hart und muskulös anfühlen und darf weder zu fett noch zu mager sein. Der lange Körper ist klein oder mittelgroß, der Brustkorb voll und tief, und das Rückgrat folgt einer konvexen Kurve, wie das eines Windhundes. Der Schwanz ist lang und dünn, die Füße klein und oval.

Das Fell zeigt tiefe, ebenmäßige Wellen; es ist erwünscht, daß diese sich auch auf Kopf, Beine und Schwanz erstrecken. Das Fell ist kurz, fein, sehr weich und dicht. Es ist eine Freude, die Katze anzufassen, das Fell ist so weich und wellig, daß es sich wie Samt anfühlt. Die Cornish Rex ist in allen Farben und Farbverteilungen anerkannt.

Cornish Rex Parti-Color Point ♀ 0.07

Cornish Rex Schildpatt mit Weiß ♀ 0.04

ihr Haar sie nicht allzu gut gegen die Kälte schützt. Obschon ihre Temperatur normal ist, fühlt sich die Rex wärmer an als andere Katzen.

Die Rex sind äußerst neugierig auf ihre Umgebung. Sie vollführen allerlei akrobatische Kunststückchen, machen Wettrennen und spielen gern den Clown. Die leichte Pflege, das weiche, wellige Fell und ihre Intelligenz machen sie zu prächtigen Ausstellungs- und Heimtieren.

Charakter

Die Cornish Rex sieht wach und athletisch aus und ist sehr intelligent, kontaktfreudig und liebevoll. Man muß sie kaum pflegen, denn das Fell verliert nicht ständig Haare. Aber eine der größten Wonnen ist es, die Rex von Hand abzureiben; es ist so angenehm, mit der Hand über eine Rex zu streichen, daß man aufpassen muß, um es nicht zu übertreiben. Die Katze braucht eine warme Umgebung, weil

Cornish Rex Schildpatt ♀ 0.09

Devon Rex

Ihre riesigen, tief angesetzten, fledermausähnlichen Ohren machen die Devon Rex zum Kobold der Katzenausstellungen. Sie hat gewelltes, aber nicht wie die Cornish Rex in schöne Reihen gelegtes Haar.

Ursprung
Die Devon Rex erschien erstmals 1960 in Devon, England. Man versuchte zuerst, sie mit der Cornish Rex zu kreuzen, aber das brachte keine Vorteile. Die daraus entstandenen Kätzchen hatten gerades Haar und zeigten keinen verbesserten Körperbau. Züchter brachten andere Rassen in den Genpool ein, aber auch diese frühen Kreuzungen brachten nichts. So kreuzte man die Katzen nur noch dann mit anderen Rassen, wenn ihre Gesundheit es nötig machte und die Felldichte erhöht werden sollte. Das Devon-Gen bringt den Devon-Typ hervor und in der zweiten Generation entweder geradhaarige Kätzchen oder gelockte, die alle den Devon-Körpertyp haben.

Devon Rex schwarz ♀ 3.06

Devon Rex braungetigert ♂ 0.06

Allgemeine Beschreibung und richterliche Beurteilung
Der Körper der Devon ist schlank, mittellang und -hoch, mit langem Hals und harter, muskulöser Brust. Die Hinterbeine sind höher als die Vorderbeine. Der lange, schlanke Schwanz sollte mit kurzem Fell bedeckt sein.

Der kleine Kopf ist ein modifizierter Keil mit kurzer Schnauze und drei verschiedenen konvexen Kurven: äußerer Rand der Ohren, Backenknochen und Schnurrhaarkissen. Die vorstehenden Schnurrhaarkissen umschreiben einen guten Break der Schnauze. Die Wangen sind sehr voll. Im Profil sollte ein deutlicher Stop zu sehen sein; die Stirn wölbt sich zu einem flachen Schädel. Ein gerades Profil ist nicht erwünscht,

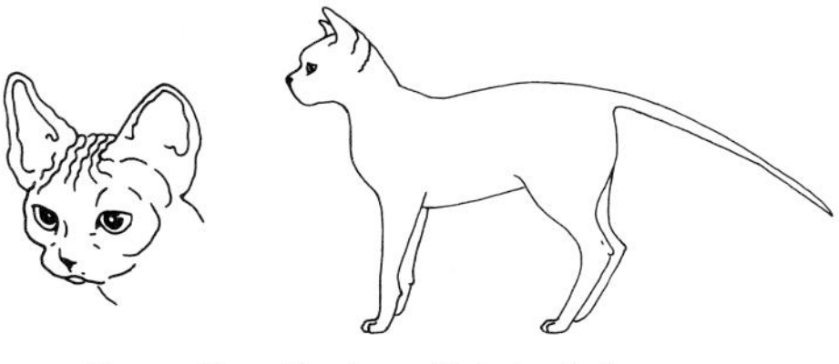

Devon Rex: Kopf: modifizierter Keil, Stop, Schnauzenbreak, volle Wangen. Ohren groß, tief angesetzt. Augen groß, oval. Körper halbfremdartig. Fell gewellt, Kurzhaar.

Charakter

Die Devon ist wach und aktiv; sie zeigt hohes Interesse an ihrer Umgebung. Sie hat ein ausgeglichenes Temperament und eine ruhige Stimme; sie eignet sich besonders als Wohnungskatze. Sie sind liebevolle, sanfte Heimtiere und lassen sich problemlos ausstellen.

Devon Rex weiß ♂ 0.08

da sich so der deutliche Break der Schnauze nicht ergäbe. Die Ohren sitzen ebenso sehr seitwärts wie oben auf dem Kopf. Sie sind lächerlich groß und verleihen der Katze ihr elfenhaftes Aussehen. Die großen, ovalen Augen stehen weit auseinander.

Das Fell ist sehr kurz und weich und fühlt sich wie Wildleder an. Schnurrhaare und Augenbrauen sind gekraust. Manche Devons haben sogar Ohrbüschel und Fellbüschel außen am Unterohr. Das volle, feine, kurze, gewellte Fell der Devon ist dem Rexing-Gen zu verdanken. Devons können am Bauch Flaum haben; das ist keine Nacktheit. Das Fell ist manchmal dünner als das der Cornish Rex. Kätzchen mit sehr gutem Körpertyp, aber nicht voll entwickeltem Fell werden höher bewertet als vollbehaarte Kätzchen von minderem Körpertyp.

Devon Rex blau

Ägyptische Mau

Die Mau mit ihren stachelbeergrünen Augen ist die einzige natürlich getupfte Hauskatze. Sie mag von der Nubischen Wildkatze, *Felis lybica,* abstammen. Die Mau ist eine sehr seltene Rasse.

Ursprung
Die Mau ist den Katzen in den altägyptischen Wandmalereien sehr ähnlich. Die damals geliebten und verehrten Katzen mögen ihre Vorfahren gewesen sein.

Die moderne Mau soll erstmals 1953 in Italien erschienen sein. Dort sah die Prinzessin Natalie Troubezkoy zum ersten Mal eine Mau, einen Smoke Tabby Kater. Sie verliebte sich in diese einzigartige Katze und überredete ihren Eigner, den ägyptischen Botschafter in Italien, ihr ein Kätzchen aus Kairo kommen zu lassen; das war ein silbernes Kätzchen namens Baba. Der Botschafter paarte damit seine Katze in der Hoffnung, eine weitere Mau zu erzielen; das bronzefarbige Kätzchen wurde mit seiner Mutter gekreuzt, und das Ergebnis war ein Weibchen namens Lisa. Diese Katzen wurden 1955 in Rom ausgestellt. Englische Züchter wünschten, in England Maus züchten zu können. Sie versuchten das, indem sie Abessinier, Tabbies und Siamesen verwendeten, aber diese Mischlinge glichen der Mau überhaupt nicht.

1956 reiste die Prinzessin mit ihren drei Maus nach den USA. Sie wurden dort im folgenden Jahr erstmals gezeigt. Baba war der erste Mau-Champion.

Die Maus in den Vereinigten Staaten sollen von Baba, nicht von den englischen Mischlingen, abstammen. Aber die ägyptischen Maus haben eine skarabäusähnliche Zeichnung auf der Stirn, die amerikanischen statt dessen ein «M». Ein anderer Bericht besagt, das erste Mau-Paar namens Gepa und Ludol, sei 1953 nach den Vereinigten Staaten gekommen. Die Mau mußte bei einigen Verbänden bis 1968 warten, bis sie zu Champion-Wettbewerben zugelassen wurde. Die erste echte Mau, die aus Ägypten nach England gebracht wurde, kam 1978 an.

Ägyptische Mau: Kopf modifizierter Keil, runde Umrisse. Ohren mittelgroß, weit hinten stehend. Augen groß, oval, hellgrün. Körper halbfremdartig. Fell Kurzhaar: getupfter Tabby. Farbe Silber, Bronze oder Schwarz Smoke.

Ägyptische Mau Silber ♀ 0.06

Allgemeine Beschreibung und richterliche Beurteilung

Der alte Mau-Standard gleicht stark demjenigen für Abessinier, außer daß dort keine Tabbyzeichnung und -Farben erlaubt sind. Bei TICA spiegelt der neue Mau-Standard die «realistische» Katze wider. Die Mau ist ganz bestimmt keine getupfte Abessinier. Ihr Körper ist nicht von fremdartigem Typ, sondern ein Mittelding zwischen fremdartig und gedrungen. Die Augen sind rund mandelförmig. Die Ohren sind mittelgroß bis eher groß.

Die seltene ägyptische Mau wird in drei Farben, getupft, gezeigt: Bronze mit braunen Tupfen, Silber mit dunkelsilbernen Tupfen, Smoke Tabby, schwarz.

Der Kopf ist ein gerundeter, modifizierter Keil, mit einer mittelgroßen, runden Schnauze und einem schwachen Stop in der Nasenlinie. Die Ohren sitzen stark hinten am Kopf. Die großen, mandelförmigen Augen sind stachelbeergrün. Der Gesichtsausdruck sieht unschuldig oder überrascht aus.

Der halbfremdartige, mittellange Körper ist gut bemuskelt, das Knochengerüst ist mittelstark. Die Hinterbeine sind länger als die Vorderbeine. Die hoch angesetzten Schulterblätter – sie sind höher als bei den meisten Rassen – verleihen der Mau den Gang eines Geparden. Die Mau besitzt eine Art von Bauchfalte, die ihr erlaubt, die Hinterbeine weit auszustrekken; sie kann sehr schnell laufen.

Das mittellange Fell ist seiden, fein und elastisch. Das getupfte Fell und die grünen Augen verhelfen zu einer wunderschönen, wilden Erscheinung. Man sagt, die ersten Zähne eines Mau-Kätzchens fielen nicht aus, bis die zweiten da seien, so daß eine junge Mau doppelt bezahnt sein könne.

Ägyptische Mau Schwarz Smoke ♂ 1.05

Ägyptische Mau Bronze ♂ 1.01

Charakter

Ägyptische Maus sind aktive, lebhafte Katzen, neugierig auf alles und dennoch zurückhaltend. Sie lieben es, dem Besitzer auf dem Schoß oder auf seinen Schultern zu liegen. Sie sollen imstande sein, ihre Pfoten wie Hände hohl zu machen, um Wasser zu trinken.

Zu Leuten, die sie mögen, sind sie durchaus freundlich und liebevoll, scheuen aber manchmal Fremde. Wenn die Mau glücklich ist, wedelt sie mit dem Schwanz wie ein Hund. Mutter und Vater kümmern sich beide um die Jungen. Maus sind prächtige Heimtiere.

Havanna

Manche Züchter glauben, diese einzigartigen rotbraunen Katzen mit grünen Augen stammten aus Siam, wo sie ihre Besitzer vor Unheil hätten schützen sollen. Andere betrachten die Havanna als in England in den fünfziger Jahren gezüchtete Rasse.

Ursprung

Die ersten modernen Havanna zeigten ein rötliches Schokoladebraun, eine so schöne Farbe, daß anfangs der fünfziger Jahre einige englische Züchter damit begannen, in Zusammenarbeit diese besondere Nuance von Chocolate zu entwickeln.

Das erste Kätzchen, das die gewünschte Farbe aufwies, war eine Kreuzung zwischen Seal Point Siamese (mit Chocolate-Gen) und einer schwarzen Kurzhaar. Letztere wiederum stammte von einer Seal Point Siamesin und einer schwarzen Katze ab. Die möglichen Farben aus dieser Zucht waren: zwei Schwarze, zwei Chocolate Points, zwei durchgehend schokoladenfarbene und zwei Seal Points. Die beiden Chocolates waren vermutlich die Gründer der heute als «Havanna Braun» bekannten Rasse.

Die Farbe ist ein tiefes rötliches Braun oder dunkles Zimtrot oder Mahagoni. Sie ist nicht schwarzbraun. Man vermutet die Gegenwart eines Modifikators, der Dunkelbraun zu Rotbraun umwandelt.

Die frühen Havannas enthielten auch Gene der Russisch Blau. Das ermöglicht dem Verdünnungsgen (d/d), von Chocolates (b/b, d/d) mitgeführt zu werden. Es ist genetisch möglich, in einem braunen Wurf eine Frost zu haben. Bei manchen Organisationen ist die Frost von einem warmen Maulwurfsgrau mit rosa Schimmer eine anerkannte Farbe.

Die ersten Havannas wiesen einen Körpertyp auf, der dem der kompakten Burma sehr ähnlich war; sie wurden deswegen als «nicht einzigartig» kritisiert. Über die wünschbare Farbe war man sich einig, aber in England nicht über den wünschbaren Typ. 1958 anerkannte der Governing Council of Cat Fanciers die Havanna unter der Bezeichnung Chestnut Brown Foreign Shorthair. 1959 wurden Typ und Standard mehr denjenigen der Russisch Blau angeglichen.

Nur in den Vereinigten Staaten gelangte diese Rasse zur Auszeichnung «einmalig». Mitte der fünfziger Jahre wurde ein Paar Havannas dort eingeführt, und die Rasse wurde so lange entwickelt, bis sie weder der Europäischen Burma noch der Chocolate Oriental Shorthair glich. Die Havanna in Amerika fällt durch den Kontrast zwi-

Havanna Chocolate ♂ 1.07

schen dem schokoladenfarbigen Fell und den grünen Augen auf. Sie ist aber in keiner Hinsicht extrem.

Es ist immer noch eine seltene Rasse, selbst in den Vereinigten Staaten; es gibt nicht viele Züchter von Havannas.

Havanna Frost ♀ 0.09

Havanna: Kopf modifizierter Keil, deutlicher Stop und Break der Schnauze, runde Umrisse. Ohren groß, weit auseinanderstehend. Augen groß, oval, grün. Körper halbfremdartig. Fell Kurzhaar. Farben durchgehend Chocolate oder Frost.

Allgemeine Beschreibung und richterliche Beurteilung

Es ist eine maßvolle Rasse – nur die langen Beine und die großen Ohren fallen auf. Der Kopf ist ein modifizierter Keil mit gerundeten Umrissen, länger als breit, mit einem markanten Stop, der aussieht, als wäre er ausgehöhlt worden. Dieser Stop und der Break der Schnauze sind Kennzeichen der Havanna. Die starke Schnauze ist fast quadratisch. Die großen Ohren stehen zwar nicht nahe beisammen, geben der Katze aber ein waches Aussehen. Die großen ovalen Augen sollten nicht so groß sein, daß sie vorstehen.

Der mittelgroße Körper ist von halbfremdartigem Typ, der Schwanz schlank und mittellang. Das glatte, kurze Fell schimmert. Die Frosts können als Folge des Verdünnungsgens ein volleres, weniger glattes, weniger weiches Fell haben als die Chocolates.

Charakter

Havannas sind hochintelligente Katzen, die es genießen, mit Menschen zusammenzusein. Sie sprechen nicht soviel wie Siamesen und sind auch nicht so aggressiv. Als Heimtiere sind sie liebevoll und als Ausstellungskatzen prächtig.

Havanna Chocolate

Japanese Bobtail

Lang, elegant, mit Quastenschwanz, ist die Japanese Bobtail eine sehr alte Rasse in Japan, bekannt und geliebt wegen ihres klaren, wie aufgemalten Mi-Ke-Musters, das Glück bringen soll.

Ursprung
Manuskripte, Malereien und andere japanische Kunstwerke zeugen davon, daß die Bobtail in Japan seit mindestens tausend Jahren existiert. Die einzigartige Zeichnung der Katze ist sichtbar, aber der kurze, eingedrehte Schwanz wird nicht erwähnt. Man kann die Mi-Ke noch immer auf dem Gotokuji-Tempel in Tokio sehen und ebenso als die «schlafende Katze» auf dem Nikö-Tempel.

1968 kam das erste Paar von japanischen Bobtails in die Vereinigten Staaten. Elizabeth Freret in Virginia erhielt sie von Judy Crawford, einer Amerika-

Japanese Bobtail, schwarzweiß ♂ 2.01

Japanese Bobtail: Kopf keilförmig, sanfte Umrisse, hohe Backenknochen, Schnauzen-Break, leichter Stop. Ohren groß, weit auseinanderstehend. Augen groß, oval, Körpertyp fremdartig. Fell Kurzhaar.

nerin, die sie in Japan fünfzehn Jahre lang gezüchtet hatte. Der erste Wurf wurde im folgenden Jahr geboren. Mrs. Crawford kam später nach den USA zurück und interessierte sich auch weiter für die Zucht von Bobtails.

1970 wurde die International Japanese Bobtail Fanciers' Association gegründet. In Japan gibt es noch immer viele Bobtails, aber es handelt sich meist um Heimtiere, die nicht in Konkurrenzen vorgeführt werden. Die meisten Bobtails in Japan haben die Mi-Ke-Zeichnung; manche sind einfarbig mit Weiß.

Eine Mi-Ke zeigt dieselben Farben wie die Calico (bei Weibchen), eine als glückbringend geltende Kombination von Rot, Schwarz und Weiß. Typisch ist auch Schwarz mit Weiß oder Rot mit Weiß.

Allgemeine Beschreibung und richterliche Beurteilung

Der Schwanz der Japanese Bobtail gleicht dem keiner anderen Katze. Könnte man ihn zu seiner vollen Länge entrollen, mäße er 10 bis 13 cm; eingerollt scheint er etwa 5 cm lang. Ist die Katze entspannt, so trägt sie den Schwanz meist steil aufrecht. Das Schwanzbein ist gewöhnlich kräftig und starr, ohne Gelenke (außer am Ansatz) und kann eine oder mehrere Kurven und Winkel aufweisen. Das Haar auf dem Schwanz ist etwas länger und dicker als das Körperhaar; daraus ergibt sich die Wirkung einer Quaste, die dem Ende der Wirbelsäule zu entspringen scheint und die darunter liegende Knochenstruktur des Schwanzes verdeckt. Das Gen, das den Quastenschwanz verursacht, ist mit dem Manx-Gen nicht verwandt. Die Japanese Bobtail führt keines der tödlichen Gene mit, wie wir sie von der Manx kennen.

Ein anderes Merkmal ist die einzigartige Stellung der Augen, verbunden mit sehr hohen Backenknochen und einer langen, parallelen Nase. Die großen Ohren stehen weit auseinander, ebenso die großen, ovalen Augen, die auffallend stark schräg geneigt sind. Die Augäpfel sind flach und sollten sich nicht über die Backenknochen oder die Stirn hinauswölben. Der Kopf ist ein modifizierter Keil mit langen, feinziselierten, aber sanft geschwungenen Linien; er sollte die Umrisse eines nahezu gleichschenkligen Dreiecks haben. Die lange Nase senkt sich sanft auf Augenhöhe oder knapp darunter. Die Schnauze ist breit und gerundet; es sollte ein deutlicher Break vorhanden sein.

Japanese Bobtail braungetigert mit Weiß ♀ 4.04

Japanese Bobtail Schildpatt mit Weiß ♀ 1.03

Der Körpertyp ist fremdartig. Die Katze ist mittelgroß mit langen, klaren Linien und deutlichem Knochengerüst. Sie ist muskulös, aber dennoch schlank gebaut. Die Hinterbeine sind merklich länger als die Vorderbeine. Wenn sie steht, bilden die Vorderbeine und Schultern der Katze zwei ununterbrochene gerade Linien.

Das Fell ist mittellang, weich und seidig. Es sollte nur wenig Unterwolle aufweisen, so daß das Haar eng am Körper anliegt.

Weißfleck-Gen

Das Weißfleck-Gen (S/-) zeigt seine Wirkung am deutlichsten in den gut voneinander getrennten Flecken der Japanese Bobtail. Das Tortie-mit-Weiß-Weibchen ist besonders schön. Rot und Schwarz sind von intensiver Tönung. Eine Theorie besagt, das Weißfleck-Gen diene als Tor oder Schranke, so daß die Farben beieinander bleiben. Das Pigment ist wohl sehr dicht abgelagert, so daß sich intensive Farben ergeben. Sie mögen aber auch dunkler erscheinen wegen des sie umgebenden leuchtenden Weiß. Vielleicht gibt es keine Melanophoren in der Epidermis der weißen Flecken.

Hat die Katze Tabby-Zeichnung – ob klassisch oder getupft – so sieht man diese Zeichnung im Bereich der Phäomelanin-Flecken.

Jede Katze mit Mi-Ke-Zeichnung kann blaue oder ungleiche Augen haben. Die Wanderung des embryonalen Gewebes kann vom Weißfleck-Gen beeinflußt sein; die Wanderung der Neuralleisten-Zellen zur Iris findet kurz nach der Geburt statt. Die Pigmentierung erfolgt erst, wenn diese Wanderung erfolgt. Wenn sich das Weißfleck-Gen über ein oder beide Augen erstreckt, wird kein Pigment abgesetzt. Das Licht dringt ins Auge ein und wird reflektiert, so daß die Augen blau erscheinen.

Es kommt nicht selten vor, daß das Ohr auf der blauen Seite schwerhörig oder ganz taub ist, denn das Weißfleck-Gen wirkt sich auch auf die Entwicklung des Ohrs aus. Das Ohr wird gebildet, aber der Hörmechanismus formt sich unvollständig, weil die Zellenwanderung gestoppt wurde. Die Nerven, die die Hörorgane mit dem Gehirn verbinden, sind nicht voll ausgebildet, und die Katze kann nicht hören.

Charakter

Japanese Bobtail sind intelligent und bezaubernd; sie lieben es zu spielen und geben ausgezeichnete Gesellschafter ab. Leute, die eine solche Katze haben, würden nicht im Traum daran denken, eine andere Rasse zu halten. Sie brauchen wenig Fellpflege, denn sie verlieren kein Haar. Ein bemerkenswertes Charakteristikum der Japanese Bobtail ist ihr Sippengefühl: sie kennen sehr starke Familienbande. Mutterkatzen kümmern sich um ihre Kinder, wenn diese längst erwachsen sind. Familiengruppen bleiben zusammen, spielen und schlafen zusammen. Die Rasse ist sehr ruhig und spricht gewöhnlich nur als Antwort auf unser Ansprechen.

Japanese Bobtail Schildpatt mit Weiß ♀ 0.05

Japanese Bobtail Schildpatt mit Weiß ♀ 1.02

Korat

Die Korat ist in den Vereinigten Staaten selten. Sie ist die silberblaue Glücksbringerin und hat riesige grüne Augen. Ihren herzförmigen Kopf gibt es nur bei dieser Rasse.

Ursprung

Dies ist eine sehr alte Kurzhaar-Rasse aus Thailand, wo es sie seit der Mitte des 14. Jahrhunderts gibt. Die Korat wurde bereits 1896 an einer Katzenschau gezeigt. Das erste Paar, das in die USA eingeführt wurde, kam dort 1959 an und wurde registriert. 1966 nahmen erstmals Korat an den Championship-Wettbewerben teil. 1969 hatten sie alle amerikanischen Verbände anerkannt.

Viele halten die Korat für die Vorläuferin der Blue Point Siamese. In Thailand heißt sie Si-Sawat. *Si* heißt Farbe, *Sawat* Glück oder Wohlstand, ist aber auch der Name einer graugrünen Mischfarbe.

Die Thais betrachten diese Katzen als Symbole des Glücks; ihre silberschimmernde blaue Farbe bedeutet Reichtum. Schenkt man einer Braut ein Paar Si-Sawat-Katzen, so ist ihr eine glückliche Ehe sicher. Die Thais schätzen die Si-Sawat-Katze so hoch, daß kaum eine je verkauft wird. Sie werden an hochgeschätzte Leute verschenkt.

Allgemeine Beschreibung und richterliche Beurteilung

Diese Kurzhaar-Katze vom Halbcobby-Typ ist mittelgroß, hat ein blasses, silbern schimmerndes blaues Fell, ein herzförmiges Gesicht und große, leuchtend grüne Augen. Die eindrucksvollen Augen sind von denen anderer Katzen verschieden; sie sind fast zu groß für ihr Gesicht, haben viel Tiefe und einen intensiven Blick. Sie müssen weit auseinanderstehen und sich im breiten oberen Teil des herzförmigen Gesichts befinden, sonst hat die Katze nicht das Aussehen einer Korat. Ein bernsteingelber Schimmer der grünen Augen wird akzeptiert.

Eines der typischsten Merkmale dieser Rasse ist ihr zweifach herzförmiger Kopf: das herzförmige Gesicht sitzt in einem herzförmigen Kopf. Die Augenbrauenwülste bilden die oberen Bogen und schwingen sich sanft zur Schnauze hinunter, was die Herzform ergibt. Die Stirne ist groß und flach. Die großen Ohren sitzen hoch auf dem Kopf. Ein schwacher Stop trennt Stirn und Nase.

Korat ♀ 1.07

Der Körper ist vom Semi-Cobby-Typ und mittelgroß, muskulös und mit starkknochigen Beinen; ihr Sprung ist stark federnd und ihr Gewicht für ihre Größe unerwartet. Der Rücken ist sanft gekrümmt, der Schwanz mittellang. Die Beine sind von mäßiger Länge, die vorderen etwas kürzer als die hinteren.

Das einfache Fell ist kurz bis mittellang und liegt dem Körper eng an. Die Farbe ist durchgehend blasses Silberblau, ohne Schattierungen oder Tabby-Zeichnung. Das silberne Tipping läßt die Katze erscheinen, als wäre sie mit Reif überzogen oder als läge eine Silberwolke vor blauem Himmel.

Charakter

Korats sind sehr intelligent und liebevolle Heimtiere. Sie sind sehr ruhig, ihre Stimme ist leise. Man denke daran, daß Korats sich langsam entwikkeln und als Jungkatzen «häßliche Entlein» sind. Korat hören, sehen und riechen ausgezeichnet. Sie sind sehr sanft, bewegen sich vorsichtig, mögen keine plötzlichen lauten Geräusche. Sie gehen eine starke Bindung zum Besitzer ein und genießen es, in der Nähe derer zu sein, die sie lieben. Sie ergeben treue und köstliche Heimtiere.

Korat ♀ 0.10

Korat: Kopf herzförmig, ebenso Gesicht, flache Stirn, schwacher Stop. Ohren groß, hoch angesetzt. Augen groß, weit auseinander, grün. Körper Halbcobby. Fell Kurzhaar. Farbe durchgehend silberblau.

Korat

Maine Coon

Die Maine Coon, eine der größten Hauskatzenrassen, wird oft als «sanfter Riese» bezeichnet. Sie sieht luchsähnlich aus, ist aber von sanftem Charakter. Es handelt sich um Nordamerikas einzige natürliche Langhaarrasse und ist die offizielle Katze des Staates Maine.

Ursprung

Der Ursprung der Maine Coon ist unbekannt. Viele glauben, unter ihren Vorfahren befinde sich die Norwegische Waldkatze, und es gibt heute tatsächlich in Norwegen Katzen, die ihr gleichen. Andere nehmen an, sie sei aus einer Kreuzung zwischen halbverwilderten Hauskatzen und Waschbären («Coon») entstanden, eine genetische Unmöglichkeit. Eine weitere Geschichte erzählt, eine Katze sei auf dem Wasserweg nach Maine gebracht worden von einem Kapitän namens Coon; sie sei dann entwischt, habe in den Wäldern gelebt und sich mit halbwilden Hauskatzen gepaart. Wahrscheinlich ist die Rasse das Produkt natürlicher Selektion. Was immer der Ursprung war, man darf vermuten, daß Züchter diese wundervollen Tiere entdeckten und die Rasse sorgfältig pflegten, damit ihr ursprüngliches Aussehen einer «wilden» Maine Coon erhalten blieb.

Ohne Zweifel gibt es diese Rasse schon lang. Maine Coons wurden in vielen frühen Katzenausstellungen gezeigt, eine gewann 1895 in der Madison Square Garden Cat Show. Diese großartigen Katzen verloren ihre Be-

Maine Coon silbergetigert ♂ 1.07

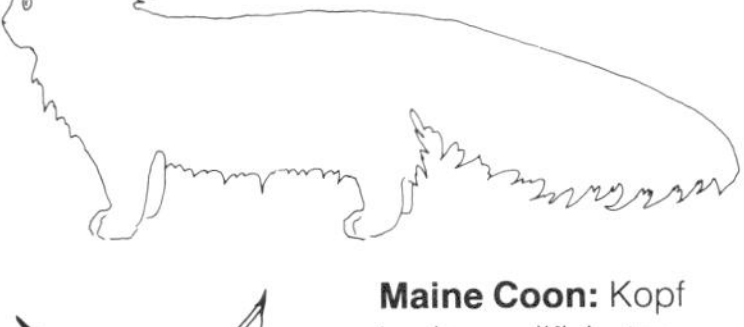

Maine Coon: Kopf breit, modifizierter Keil, mit runden Umrissen, hohen Backenknochen, quadratischer Schnauze. Ohren groß, hoch angesetzt. Augen groß, oval. Körper lang, kräftig. Fell halblang, zottig.

liebtheit, als die prunkvollen Perser aus Großbritannien ankamen, aber seit einigen Jahren sind sie dank der sorgfältigen Arbeit der Züchter wieder hochbeliebt.

Die ersten Maine Coon wurden oft verachtet, manche Züchter bezeichneten sie als Bauern- oder Gassenkatzen. Sie hatten kein Auge für die rauhe Schönheit dieser Katze! In den fünfziger Jahren tauchte sie wieder an den Katzenausstellungen auf, und anfangs der Siebziger wurden sie aufs neue berühmt, als sie Preise als beste Katzen der Schau gewannen. Die heutigen Maines sind den andern Rassen ebenbürtig. Früher zögerten die Richter, diese zottigen, unpolierten Katzen zu prämiieren, die so anders waren als die manikürten, prächtigen Perser, bei denen jedes Haar an seinem Platz lag. In den heutigen Katzenausstellungen sind Maines oft zahlreicher als andere Rassen. Sie haben es geschafft!

Allgemeine Beschreibung und richterliche Beurteilung

Die Maine Coon verbindet Eleganz und Rauhheit, Wildheit und Sanftheit. Sie ist eine große Katze mit halblangem Haar, mit einem zottigen Fell, großen Ohren und einem äußerst langen, vollen, buschigen Schwanz; eine «arbeitende» Katze, fähig, sich in rauhen Waldgebieten und unter extremen Klimaverhältnissen selbst durchzubringen. Ein schweres Knochengerüst und kräftige Muskeln verleihen ihr außergewöhnliche Kraft.

Maines entwickeln sich sehr langsam, sie sind erst nach drei bis fünf Jahren ausgewachsen. Kater wiegen sechs bis acht Kilo; Weibchen können kleiner sein. Man sollte die Maine aber nicht nur aufgrund ihrer Größe und ihres Gewichts beurteilen. Ohne die großen Ohren, hohen Backenknochen, starke quadratische Schnauze, den langen, kräftigen, rechteckigen Körper, die festen Beine und großen Pfoten und den extralangen Schwanz sehen sie nicht wie Maine aus. Der Kopf ist als breiter modifizierter Keil ausgebildet, mit runden Umrissen, einer breiten Nase und einer quadratischen Schnauze. Die auffallend großen, breiten Ohren sind mit gutem Abstand hoch auf dem Kopf angesetzt, niemals auf der Seite; Luchshaarbüschel und Innenbehaarung sind erwünscht. Die Augen sind groß und oval. Die Beine sollten mittlere Länge haben. Der Schwanz sollte gleich lang sein wie der Rücken vom Halsansatz bis zum Wirbelsäulenende. Das zottige, rauhe Fell liegt flach; es hat sehr wenig Unterwolle. Manchmal stehen zwischen den Zehen Haarbüschel, die, wie manche glauben, der Katze das Gehen auf Schnee erleichtern. Maine Coons sind in allen Farben und Zeichnungen zugelassen außer Sepia, Mink und Pointed.

Maine Coon Blue Classic Tabby ♂ 0.08

Maine Coon Brown Classic Tabby ♀ 0.05

Gewohnheiten

Den Schwanz zu putzen, ist für die Katze bei seiner Länge und der des Körpers nicht einfach. Manchmal windet sie den Schwanz um ein Vorderbein und arbeitet in Spiralen. Manche Maines benutzen ihre Vorderpfoten wie Hände. Ihre gebogenen Krallen und Zehen sind etwas länger als bei anderen Katzen, und so können sie schmale Gegenstände wie etwa einen Bleistift hochheben und festhalten. Sie benützen die Vorderfüße auch, um aus ihrem Futter kleine Stücke herauszuholen und auf den Boden fallen zu lassen, ehe sie sie fressen. Gibt man ihnen ein Stück Fleisch, so «töten» sie es erst und schwenken es dann in der Wasserschüssel, ehe sie es verzehren. Maines stehen vor dem Trinken gerne mit beiden Vorderbeinen in der Wasserschüssel und mögen sogar tiefere Wasserbehälter, um die Füße mehr eintauchen zu können.

Charakter

Kater neigen dazu, ihre Bezugsperson völlig mit Beschlag zu belegen; sie sind sehr treu. Weibchen scheinen manchmal übellaunig, besonders wenn sie damit bluffen können. Zuerst knurren sie, und wenn das nicht hilft, schnauben sie. Sogar kleine Kätzchen beherrschen diesen Bluff und vertreiben eine große, schwere Katze, die sich mit eingeklemmtem Schwanz davonmacht. Die Weibchen sind ausgezeichnete Mütter; man kann darüber nur froh sein, denn die Würfe zählen sieben bis acht Junge.

Maines sind äußerst intelligent und interessieren sich lebhaft für ihre Umgebung. Es sind milde, liebenswürdige Katzen, mit denen sich gut auskommen läßt, wenn sie einen kennen. Sie vermitteln einen gütigen, rücksichtsvollen Eindruck. Sie wollen nicht unbedingt in den Armen gehalten werden, aber der Person, die sie lieben, stets nahe sein; sie folgen ihr von Zimmer zu Zimmer. Gewöhnlich binden sie sich an eine einzige Person und sind ihr bedingungslos treu. Meist sind sie sehr ruhig; nur wenn sie etwas Interessantes wie einen Käfer oder Vogel sehen, erheben sie sich bärengleich auf die Hinterbeine und lassen zirpende Laute hören. Manche Maines apportieren einen Gegenstand. Sie sind nicht gerne eingeschränkt, aber da sie es lieben, im Freien zu sein, kann man sie daran gewöhnen, an der Leine zu gehen. Sie genießen Schnee und sogar das Naßwerden. Sie sind wahrhaft sanfte Riesen; sie besitzen ihren Menschen, nicht umgekehrt.

e Coon Brown Classic Tabby

Maine Coon Brown Classic Tabby ♂ 0.10

Manx/Cymric

Die kurzhaarige Manx und die langhaarige Cymric sind die einzigen schwanzlosen Katzen, die in der Welt der Katzenliebhaber anerkannt sind. Diese scheuen Katzen haben eine einzigartige, nach außen weisende Ohrenstellung. Sie hoppeln wie Kaninchen, weil ihr Körper kurz und kräftig ist und die Hinterbeine höher sind. Es sind höfliche, zurückhaltende Damen und Herren.

Ursprung
Es gibt seltsame Geschichten darüber, wie schwanzlose Katzen auf die Isle of Man kamen, wo sie wahrscheinlich entstanden sind. Einige besagen, die Irländer hätten sie eingeführt und ihre Schwänze als Helmzier benutzt. Andere glauben, Phönizier hätten sie aus Japan mitgebracht, und die Katzen seien verwandt mit der Japanese Bobtail. Das kann kaum stimmen, denn das Gen, das die Quastenschwänze der japanischen Katzen verursacht, ist ein ganz anderes. In einer weiteren Geschichte schwamm eine Katze aus einem Schiff der Armada nach der Insel hinüber. Und schließlich soll die Katze an Bord der Arche Noah gewesen sein, und Noah hätte ihr versehentlich mit einer zugeschlagenen Tür den Schwanz abgeklemmt.

Schwanzlosigkeit wird durch ein dominantes Gen verursacht, das die Tiere seit langem mit sich führen. Da die Kätzchen eine hohe Sterblichkeitsrate aufweisen, gibt es heute wenige Manx. Kätzchen aus einer homozygoten Dominante sterben noch als Föten; ihre Wirbelsäule kann sich nicht entwikkeln.

Manx: Kopf rund, leichter Stop, deutlicher Schnauzen-Break, volle Wangen. Ohren weit auseinanderstehend. Augen groß, rund. Körper: gedrungen. Erscheint schwanzlos. Fell kurz, doppelt.

Weiße Manx ♂ 6.05

Manx, braungetigert ♂ 1.10

Cymric

Die Cymric ist die langhaarige Variante der Manx; sie erschien erstmals in Manx-Würfen um 1960. Sie sollen denselben Körperbau haben wie die Manx. Die Rasse heißt Cymric (ausgesprochen kimric) nach «Cymru», dem walisischen Namen für Wales. Die Cymric wurde erst in den siebziger Jahren anerkannt und ist es noch heute nicht von allen Verbänden. Wenn es heute wenige Manx gibt, so sind die Cymric noch seltener.

Allgemeine Beschreibung und richterliche Beurteilung
Das Schlüsselwort für die Manx ist «rund»: runder Kopf, runde Brust, runder Rumpf. Im ganzen sollte sie als mittelgroße, kompakte, muskulöse Katze erscheinen, ein bißchen wie ein Bär

Cymric: Kopf rund, leichter Stop, deutlicher Schnauzen-Break, große, runde Schnurrhaarkissen. Ohren mittelgroß, weit auseinanderstehend. Augen groß, rund. Körper gedrungen, kräftig. Erscheint schwanzlos. Fell halblang, doppelt.

Cymric rotgetigert ♂ 1.00

ohne Schwanz. Der Kopf ist ein wenig länger als breit und unter dem Nasenrücken sanft geschwungen. Auch die breite Schnauze ist etwas länger als breit, weist einen deutlichen Break auf sowie große, runde Schnurrhaarkissen. Die Backenknochen sollten vorstehen. Besonders Kater sollten Wammen haben. Der Ort, wo die mittelgroßen Ohren angesetzt sind, ist sehr wichtig: sie sollten weit auseinanderstehen und sich von hinten ansehen wie die Kufen einer Wiege. Die Augen sind rund, groß und voll.

Der mittelgroße Körper ist gedrungen, mit kräftigem Körpergerüst und gut bemuskelt einschließlich der Beine; die Gesamterscheinung ist robust und fest. Die Hinterhand ist höher als die Vorderhand. Der kurze Rücken bildet eine ununterbrochene sanfte Kurve von den Schultern bis zum Steiß; dort wölbt er sich nochmals, so daß der gewünschte Eindruck der Rundheit entsteht. Die Flanke sollte sehr tief sein. Bei einer vollkommenen Katze muß der Schwanz völlig fehlen.

Die Manx hat ein kurzes, weiches, plüschähnliches Doppelfell. Das doppelte Fell der Cymric ist halblang, fein und seidig.

Charakter

Haben die Kätzchen das gefährliche Stadium ihrer Entwicklung überstanden, so wachsen sie zu kräftigen, gesunden Erwachsenen heran. Manx geben ausgezeichnete Heimtiere ab. Sie neigen dazu, einer einzigen Person treu zu sein, und geben sich anderen gegenüber zurückhaltend, aber nicht unfreundlich. Sie sind glänzende Jäger und erklettern gern Bäume. Es sind ruhige, unaufdringliche Katzen und eignen sich ausgezeichnet als Gefährten für alleinlebende Personen.

Manx, schwarzweiß ♂ 0.11

Norwegische Waldkatze

Dies ist die einheimische, langhaarige Katze Norwegens. Sie hat ein dickes, schweres Allwetter-Fell, einen riesigen, buschigen Schwanz und große, schöne, mandelförmige Augen. Diese kräftigen, intelligenten Katzen gehen gerne neben einem, als wären sie liebevolle Hunde.

Norwegische Waldkatze, Brown Classic Tabby ♀ 6.01

Ursprung

Die norwegische Waldkatze oder Skogkatt ist in Norwegen eine sehr alte Rasse, ihr Ursprung ist unbekannt. Die Norweger sagen, sie seien schon immer dagewesen. Sie stammen nicht von Persern ab, denn Perser kamen erst im 20. Jahrhundert nach Norwegen, und die Waldkatze ist viel älter. Es ist auch keine gezähmte Wildkatze, denn die Zoologen sind sich darin einig, daß es in Skandinavien nie Wildkatzen gab.

In Norwegen lebte die Waldkatze früher im Freien, und sie zieht das heute noch vor. Die norwegische Mythologie spricht von einer Katze, die so riesig war, daß der Gott Thor sie nicht aufheben konnte. Die Göttin der Liebe und Fruchtbarkeit, Freyja, fuhr in einer Kutsche, die von zwei großen Katzen gezogen wurde.

Waldkatzen entwickelten die fürs Überleben nötigen Eigenschaften: ein schweres doppeltes Fell; kräftige Knochen; lange Hinterbeine und starke Krallen für schnelles Laufen, Springen und Klettern, was ihre jägerischen Fähigkeiten steigerte und ihr ermöglichte, sich auf Schnee, auf Bäumen, in felsigem Gebiet wohlzufühlen. Früher lebten Tausende dieser Katzen in Norwegens Wäldern. Im Lauf der Jahre wurden sie immer seltener und waren in Gefahr, als Rasse unterzugehen. Erst anfangs der siebziger Jahre wurde ernsthaft versucht, diese einzigartige Rasse zu retten. In Norwegen sind jetzt über zwölfhundert Waldkatzen registriert. In den USA sind sie noch ziemlich neu; das erste Zuchtpaar wurde 1979 dort eingeführt, und der erste überlebende Wurf wurde 1981 geboren. Die Rasse wurde von TICA 1984 für Championship-Wettbewerbe zugelassen.

Die Farbe einiger der in Norwegen befindlichen Katzen ist Schwarz Smoke und Weiß. Amerikanische Katzenexperten, die vor kurzem Norwegen besuchten, berichteten, die Waldkatzen seien dort größer als die meisten der USA und bemerkten eine Ähnlichkeit mit der Maine Coon.

Norwegische Waldkatze braungetigert mit Weiß ♂ 0.09

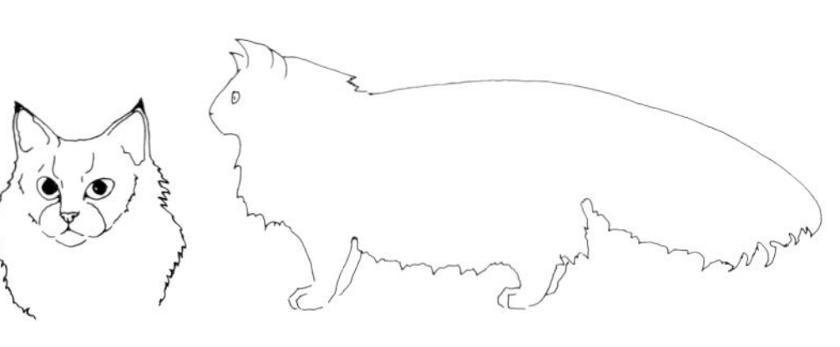

Norwegische Waldkatze: Kopf keilförmig, geradlinig. Ohren mittelgroß. Augen groß, mandelförmig. Körper mittellang, kräftig. Fell langhaarig.

Allgemeine Beschreibung und richterliche Beurteilung

Der Körper der Norwegischen Waldkatze ist groß und imposant, von mäßiger Länge, mit starkem Körpergerüst und kräftiger Muskulatur. Es sollte beträchtliche Flankentiefe vorliegen. Die Beine sind mittellang, die Hinterhand länger als die Vorderhand. Der buschige, wehende Schwanz ist so lang wie der Körper. Die geraden Kopflinien sollten in ein gleichschenkliges Dreieck passen. Die Schnauze ist fast qua-

Norwegische Waldkatze Brown Classic Tabby mit Weiß ♂ 0.11

Norwegische Waldkatze Blue Classic Tabby mit Weiß

dratisch. Die mandelförmigen Augen sind äußerst groß und ausdrucksvoll. Die Ohren sind mittelgroß bis groß, stehen seitlich und gleichzeitig oben am Kopf, ihre Innenbehaarung steht über die Ohrkante hinaus.

Das charakteristische, wetterfeste doppelte Fell ist halblang, uneben und dicht, mit voller Halskrause. Die Norwegische Waldkatze scheint gerne im Regen zu gehen, durch Pfützen zu marschieren und in ihnen zu spielen. Regenwasser bildet auf ihrem Fell Perlen, und sie zu baden, kann schwierig sein, weil man Unmengen von Shampoo braucht, um mit dem Öl im Fell fertig zu werden. Gewöhnlich braucht man sie nicht zu kämmen, denn das Haar verfilzt nicht. Im allgemeinen ist die Fellpflege problemlos, da sich die Katze selbst darum kümmert und sehr reinlich ist.

Charakter

Die Norwegischen Waldkatzen üben einen beruhigenden Einfluß aus. Viele Besitzer sagen, sie hätten ihr Leben lang Katzen gehalten, aber dies seien die liebenswertesten. Wenn die Katzen einen Fehler haben, so den, daß sie stets bei einem bleiben und einem ihre Liebe beweisen wollen. Aber sie sind keine Schoßkatzen und kommen nur, wenn es ihnen paßt, auf die Knie. Nachts liegen sie gern auf dem Bett des Besitzers, aber nicht unter der Decke. Sie sind sanft, können aber dennoch auf der Befriedigung ihrer Bedürfnisse beharren. Sie sehen äußerst ruhig aus, doch ihnen entgeht nichts.

Gewöhnlich sind sie ruhig, so ruhig, daß es schwierig ist festzustellen, ob eine Katze rollig ist. Spiele halten sie für unter ihrer Würde; sie sitzen da und beobachten andere Katzen dabei. Manchmal gibt es einen plötzlichen Ausbruch kätzchenhaften Verhaltens. Sie sind sehr intelligent, zuverlässig und vernünftig. Sie kommen auf Rufen herbei, und im Freien folgen sie ihrem Besitzer wie Hunde und genießen den Marsch, machen Jagd auf Eichhörnchen und klettern Stämme hoch. Großes Vergnügen macht es ihnen, Trophäen von draußen heimzubringen: ein Blatt, eine lebende Maus oder eine kleine Gartenschlange. Sie sind nicht heikel beim Fressen, aber es gibt solche, die sich weigern zu fressen, wenn kein Mensch dabei ist. Von ihren Ahnen weiß man, daß sie Wurzeln und Wespennester verzehrten und auch sonst, was sie erwischen konnten.

Ein norwegischer Züchter sagte: «Die Skogkatt ist eine sehr freundliche, liebenswerte Katze. Dennoch hat sie den echten Instinkt eines Tieres bewahrt, das mit einem rauhen Leben im Freien kämpfen mußte. In mancher Hinsicht gleicht sie einer Gassenkatze, nur hat sie ein langes, schönes Fell, das viel weniger Pflege braucht als das anderer Langhaarkatzen ... Von Anfang an erlaubte die Natur nur das Überleben der Tüchtigsten, und im Geist dieses Grundsatzes tauchte die Norwegische Waldkatze aus den norwegischen Wäldern auf und errang internationale Anerkennung. Als Ergebnis extremer Lebensbedingungen entwickelte und zeigte diese Katze ihre besonderen Fähigkeiten zusammen mit Intelligenz, Mut und Schnelligkeit.»

Norwegische Waldkatze silbergetigert mit Weiß ♂ 0.07

Ocicat

Das ist der gefleckte Leopard der Hauskatzenwelt. Es handelt sich um eine Rasse, die erst seit kurzem anerkannt ist, eine von Menschen gesteuerte Züchtung aus Abessiniern, Siamesen und Amerikanisch Kurzhaar. Es ist eine große Katze, die wild aussieht. Die Züchter legen Wert darauf, ihren liebevollen, sanften Charakter zu bewahren.

Ursprung

Die erste Ocicat, Tonga, wurde 1964 geboren. Ihre Züchterin, Virginia Daly, hatte versucht, das Aguti-Tabby-Muster auf ihre Lynx Point Siamesen zu übertragen, und kreuzte daher Siamesen mit Abessiniern. Die ersten Mischlinge waren phänotypisch alle Abessinier. Eine solche Mischlingskatze paarte sich mit einer Chocolate Point Siamesin. Der Wurf enthielt die gewünschte Aguti Lynx-Point Siamesin sowie Tonga, die glänzend goldene Flecken auf Elfenbeingrund aufwies.

Tonga, die als Heimtier gedacht war, wurde sterilisiert. Aber als es aus Kreuzungen von Tongas Mutter, Vater und anderen Verwandten noch mehr solcher Katzen gab, konnte man ihre einzigartige Schönheit nicht mehr übersehen. Ein seriöses Zuchtprogramm für Ocicats nahm seinen Anfang. Mrs. Daly und einige andere engagierte Züchter haben die letzten zwanzig Jahre daran gearbeitet, Farbe, Zeichnung, Körpertyp und Charakter dieser Katze zu vervollkommnen. Gearbeitet wurde nicht nur mit Abessiniern und Siamesen, sondern auch die Gene amerikanischer Kurzhaar wurden in den Genpool eingebracht, um die Rasse etwas größer zu machen. Damit wurde auch das gewünschte Silber-Gen hereingeholt.

Heute arbeiten die Züchter nicht mehr mit Siamesen oder Amerikanisch Kurzhaar. Seit 1986 dürfen nur noch Abessinier eingekreuzt werden, um den Körpertyp zu verbessern und den Gen-Pool zu bereichern. 1987 wurde die Ocicat von der TICA, CFA und der Canadian Cat Association zu Championship-Konkurrenzen zugelassen.

Allgemeine Beschreibung und richterliche Beurteilung

Die Ocicat ist eine große, getupfte Tabby von maßvollem Körpertyp, berühmt für ihr «wildes» Aussehen. Die Absicht der Züchter war es, eine Katze zu schaffen, die wie eine verwilderte gefleckte Katze aussah, dennoch aber den gutmütigen Charakter eines Heimtiers bewahrte. Im Typ gleicht sie am ehesten der Abessinier, aber die ideale Ocicat ist größer, robuster und athletischer als die Abessinier, die man heute in Katzenausstellungen sieht. Das Weibchen wiegt durchschnittlich drei bis viereinhalb Kilo, das Männchen fünf bis sieben.

Der halbfremdartige Körpertyp ist kräftig. Die mittellangen Beine sind gut bemuskelt und stark; die Hinterbeine sind etwas höher als die Vorderbeine. Der Schwanz sollte lang sein. Der Kopf ist ein modifizierter Keil mit gerundeten Umrissen, mit einem kleinen Stop zwischen Nasenrücken und Stirn, einer guten Schnauze und einem kräftigen Kinn. Die mäßig großen Ohren sind an den Ecken des Kopfes angesetzt; luchsähnliche Ohrspitzen sind erwünscht. Die großen, mandelförmigen Augen stehen ziemlich weit auseinander. Das feine Fell, welches lang genug sein sollte, um mehrere Ticking-Bänder zu erlauben, ist dicht und eng anliegend.

Ocicat Silver, getupft ♂ 0.06

Einzigartig ist die Zeichnung der Ocicat mit großen, daumenabdruckähnlichen Flecken, die wahllos über den Körper verstreut scheinen, aber der klassischen Tabby-Markierung folgen. Die beiden Seiten sind nie gleich. Jede sollte einen Fleck zeigen, der von einem anderen Fleck umgeben ist, ähnlich wie beim «Bullauge» der klassischen Tabby. Gute Ocicats haben Flecken auf den Hüften, Schultern, Beinen und dem Schwanz, außerdem Flecken statt eines Rückenstreifens. Ocicats werden nur mit der Zeichnung der getupften Tabby ausgestellt und mit eumelanistischen Farben. Eumelanin kann Silber tragen, muß aber nicht.

Das genaue Allel oder der Modifikator der gefleckten Zeichnung konnte nicht identifiziert werden. Es gibt mehrere Theorien. Eine besagt, die Streifenzeichnung sei nicht vollständig dominant gegenüber dem klassischen Muster, was bewirke, daß die Zeichnung sich in Flecken auflöse. Gute getupfte Katzen lassen sich erzielen, wenn klassische Tabbies mit getigerten gekreuzt werden. Einige «getupfte Tabbies» scheinen ihr Muster stabil durch mehrere Generationen zu erhalten. Deshalb folgerte man, daß es ein Gefleckt-Gen oder ein viertes Tabbymuster-Allel gebe; man weiß aber nicht, welchen Dominanzgrad dieses Gen innerhalb des allelischen Systems der Tabby hätte.

Die Theorie von einem separaten Modifikator mag die wahrscheinlichste sein. Ein solcher Modifikator könnte jedes Tabby-Muster in Flecken auflösen. Diese Flecken folgen dann entweder der Zeichnung der klassischen Tabby oder derjenigen der Mackerel. Vorauszusetzen wäre, daß dieser Modifikator dominant ist.

Ocicat Silver, getupft ♂ 0.06

Ocicat: Kopf modifizierter Keil, gerundete Umrisse. Ohren mäßig groß. Augen groß, mandelförmig. Körper halbfremdartig, kräftig. Fell Kurzhaar. Zeichnung getupfte Tabby. Farben Eumelanin.

Charakter

Ocicats sind liebevoll, sanft und sehr intelligent. Man kann sie lehren, auf stimmliche Kommandos zu reagieren, und sie lernen gerne Kunststücke. Sie sehen wie Leoparden aus, sind aber so lieb und anschmiegsam wie jede Heimkatze.

Perser/Exotisch Kurzhaar/Col

Die Perser wird von vielen als Aristokratin der Rassekatzen betrachtet. Sie wurde von Anfang an verehrt und gilt als Star wegen der großartigen Verbindung eines wehenden Fells, Muskelkraft, kleiner Ohren, riesiger runder Augen und, wenn möglich, eines sanften Ausdruckes.

Ursprung
Perser, Exotisch Shorthair und Colourpoints haben einen gemeinsamen Standard und Körpertyp. Der einzige Unterschied zwischen diesen Rassen besteht in Haarlänge, -farbe und -textur. Der Perser ist eine Langhaarkatze ohne Abzeichen, die Exotische Kurzhaar ist im Typ ein kurzhaariger Perser, und der Colourpoint ist ein Perser mit Abzeichen.

Perser sind als anerkannte Rasse seit über hundert Jahren ausgestellt worden. Ihr genauer Ursprung ist unbekannt. Manche Berichte besagen, sie stammten aus Kleinasien und seien in Europa erstmals um 1700 herum gesehen worden; es gibt aber Zeugnisse, nach denen aus Asien eingeführte Langhaarkatzen schon im 16. Jahrhundert in Italien gesehen wurden. Alte britische Bücher nennen diese Katze Angora oder Französische Katze. Sie sollten aus Ankara in der Türkei kommen, das auch als der Geburtsort der Angora galt, die der Perser sehr glich. Die Türkische Angora wurde in vielen Zuchtprogrammen eingesetzt wegen ihres kostbaren langen Fells. Man ist der Ansicht, Gene der Türkischen Angora fänden sich bei vielen unserer modernen Rassen.

Die meisten Perser, die 1871 in der ersten Katzenausstellung in England gezeigt wurden, waren schwarz, blau oder weiß. Königin Victoria und andere Mitglieder des Königshauses hielten blaue Perser, was ihre Beliebtheit steigerte. Allmählich wurden andere Farben und Zeichnungen eingeführt und von den Verbänden zugelassen, aber Blau ist immer noch beliebt. Perser wurden erstmals gegen Ende des 19. Jahrhunderts in Nordamerika eingeführt und begeisterten Züchter, Aussteller und Richter dort ebenso wie in England und Asien.

Heutige «ideale» Ausstellungs-Perser gleichen ihren Vorfahren wenig. Frühe Perser hatten längere Gesichter, größere Ohren, kleinere, näher beieinander liegende Augen und geschmeidigere, längere Körper. Der Typ der alten Perser wurde grundlegend verändert, als man Gene der Langhaarkat-

Perser Creme ♂ 0.11

Perser Weiß mit blauen Augen ♀ 0.08

rpoint

Perser Creme mit Weiß ♀ 0.11

Perser Creme mit Weiß

zen aus Persien (Iran) in den «Angora-Perser»-Genpool einbrachte. Der iranische Perser brachte kräftigere Körper, kurze Beine, breitere, rundere Köpfe und längeres, dickeres Fell. Als Angora und Iraner gekreuzt wurden, begann der Fremdtyp zu verschwinden und wurde ersetzt durch den Cobbytyp. Die Zucht ging in dieser Richtung weiter, und die Rasse hieß bald einfach Perser.

Allgemeine Beschreibung und richterliche Beurteilung

Die Katze sollte festes Fleisch haben, aber nicht dick sein. Sie sollte körperlich und charakterlich ausgeglichen sein und den Eindruck robuster Kraft erwecken. Der gedrungene Körper ist gerundet, das Knochengerüst kräftig, groß und dem Körper angepaßt. Die Muskeln sind fest und gut entwickelt. Der Rücken sollte kurz und waagrecht

Perser Weiß ♂ 0.11

Perser rot ♀ 0.11

sein. Der Schwanz ist eher kurz, steht jedoch in gutem Verhältnis zum Körper; bei Perser und Colourpoint sollte er ohne Biegung etwas tiefer als der Rücken getragen, jedoch nicht nachgeschleppt werden. Von vorne gesehen, sollten die Vorderbeine kurz und gerade sein, was zur kräftigen Erscheinung beiträgt, jedoch nicht einen Bulldoggen-Eindruck erwecken darf. Von hinten gesehen sollten die Beine gerade sein. Die Brust ist tief und ebenso massiv wie die Schultern, dazwischen liegt ein gut gerundeter Mittelteil. Die Füße sind groß, rund, mit kurzen Zehen; bei Langhaarkatzen sind Haarbüschel zwischen den Zehen erwünscht.

Das Fell von Persern und Colourpoints sollte voll Leben sein. Dichte Unterwolle bewirkt, daß das Fell überall am Körper absteht. Das Haar sollte überall, auch an den Schultern, lang sein. Die Halskrause muß sehr groß sein und zwischen den Vorderbeinen besonders mächtig. Das Fell der Exotisch Kurzhaar ist kurz und plüschähnlich dicht.

Beim Persertyp ist der Kopf breit, rund, massiv, mit breitem Schädel und gewölbter Stirn. Im Profil sieht man eine gerade Linie von Stirn über Nase zu Kinn. Das Knochengerüst des Gesichts ist rund, die Wangen sind voll und gewölbt. Der Ausdruck sollte lieb sein. Das ist sehr wichtig, denn die Katze sollte angenehm anzusehen sein, niemals mißgelaunt.

Perser blau

Die Kiefer sind breit und kräftig mit perfektem Biß. Die kurze Nase sollte ebenso breit wie lang sein, mit einem deutlichen Break zwischen den Augen. Manche bevorzugen einen tiefen Break und eine Stupsnase. Andere möchten lieber einen Break mit leicht abwärts gerichteter Nase. Solange der Standard nicht festlegt, welche Version korrekt ist, wird beides akzeptiert. Aber man sollte daran denken, daß die Nase in die gerade Linie zwischen Schädelwölbung und Kinn passen sollte. Die kurze Stupsnase trüge dem eher Rechnung. Das Kinn ist stark, voll und gut entwickelt und paßt ins runde Gesicht. Der Hals sollte den massiven Kopf stützen können; er sollte kurz, dick, muskulös und kräftig sein. Die kleinen Ohren stehen weit auseinander und sind tief angesetzt, in die gerundeten Umrisse passend. Die Innenbehaarung sollte bei den Langhaarkatzen lang und geschwungen sein. Die Augen sind groß, rund, voll und ausdrucksvoll, sie stehen weit auseinander. Die Augenfarbe sollte zur Fellfarbe passen; je dunkler, desto besser.

Perser schwarzweiß/blauweiß

Einführung des Weißfleck-Gens

Das Weißfleck-Gen zeitigte eine Verbindung von Weiß mit allen übrigen Perserfarben und -zeichnungen. Dies geschah nicht ohne heftigen Widerstand einiger Züchter, die mit diesem Gen nichts zu tun haben wollten und energisch gegen die Zulassung der «mit Weiß» kämpften. Sie fürchteten, das Gen werde ihre Blutlinien ruinieren. Ihr Widerstand nützte ihnen aber nichts, und heute kann niemand die Schönheit dieser Farbkombination leugnen.

Varianten

Das Erscheinen der Farben Chocolate, Zimt, Frost oder Fawn-Beige, die mit den Siamesen assoziiert werden, weckt strenge Ablehnung bei einigen Perser-Züchtern, die keine Perser mit siamesischem Hintergrund wünschen. Viele Verbände anerkennen diese Farben nicht für Perser; andere nennen Chocolate und Frost Kashmirs und führen sie als separate Rasse auf.

Chocolate und Frost Perser wurden von TICA ca. 1980 anerkannt. Es gab nicht viele davon. Ihre stolzen Eigner waren tief enttäuscht, als die Katzen nicht in die Finalrunden kamen. Sie hatten etwas sehr Wichtiges vergessen: Farbe allein macht keine Rasse aus, der Körpertyp ist wichtiger. Sie hatten das Ungewöhnliche, eine neue Perserfarbe, aber sie hatten keinen genügend guten Persertyp. Bei jeder Rasse braucht es Jahre, bis der gewünschte Typ hervorgebracht ist. Man baut zuerst ein Haus, erst nachher malt man es an. Auch ist Chocolate

Perser schwarz ♂ 0.11

Perser: Kopf rund, breit, gewölbt, Stupsnase, ausgesprochener Break, Stirne, Nase und Kinn in gerader Linie, volle Wangen. Ohren klein, weit auseinanderstehend. Augen groß, rund, weit auseinanderstehend. Körper gedrungen. Fell Langhaar.

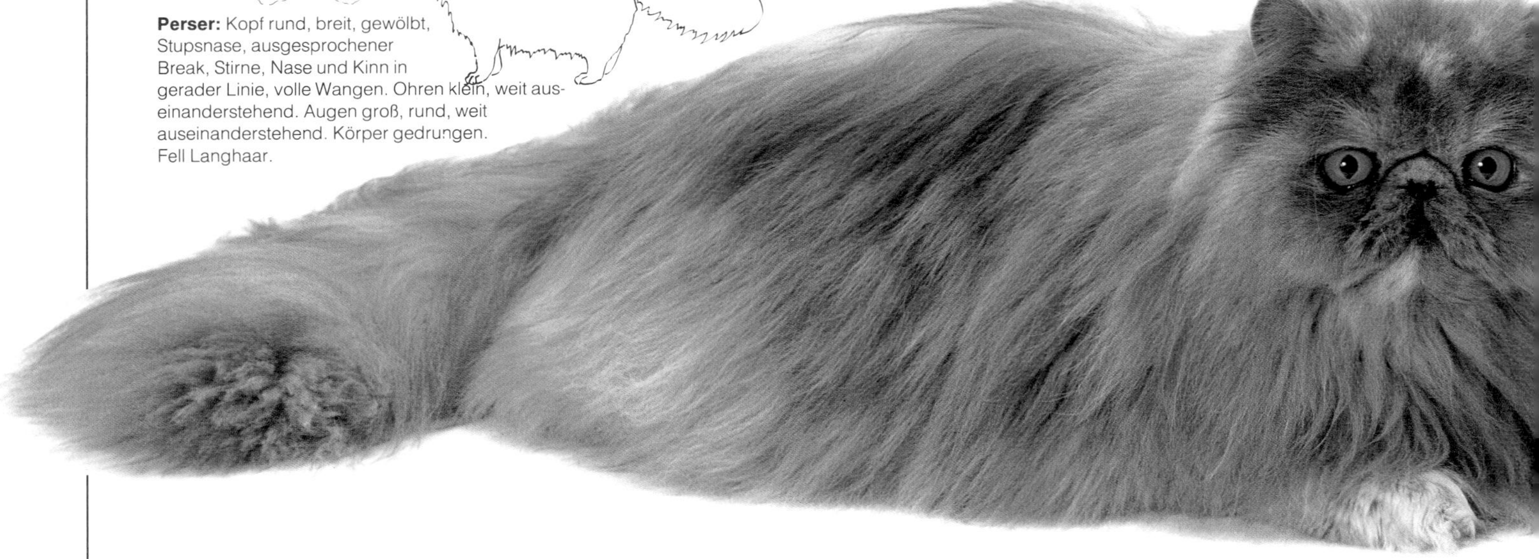

Perser, Blaue Tortie ♀ 0.10

sehr schön, aber schwierig. Die Farbe verdünnt sich ungleich, ist entweder zu hell oder zu dunkel und kann vergilben.

Heute sind die sogenannten Varianten phänotypische Perser von Perser-Eltern, haben das Point-Gen und werden bei der TICA gezeigt ohne Ansehen der Farbe. Viele weisen einen ausgezeichneten Perser-Typ auf, und vom bloßen Ansehen her wäre es unmöglich zu sagen, ob unter ihren Vorfahren eine Colourpoint ist. Man würde einen Stammbaum brauchen, um zu beweisen, daß sie nicht vom vollfarbigen Genotyp sind.

Ist es möglich, von zwei Colourpoints mit Abzeichen einen vollfarbigen Perser zu züchten? Überhaupt nicht. Können eine Colourpoint und ein Perser eine Colourpoint hervorbringen? Nur, wenn auch der Perser das rezessive Point-Allel mit sich führt. Können zwei Perser eine Colourpoint hervorbringen? Aber sicher, wenn beide Elternteile das rezessive Point-Allel mit sich führen.

Perser, Schildpatt mit Weiß ♀ 0.08

Perser, Schildpatt mit Weiß, ♀ 0.02

Rot
Der rote Perser wurde angeblich anfangs des 20. Jahrhunderts in Großbritannien gezüchtet. Mit dieser Farbe läßt sich sehr schwer arbeiten, denn mit Rot ist stets eine Tabby-Zeichnung verbunden. Der Standard verlangt durchgehendes Rot bis zu den Haarwurzeln, was in der Kopfgegend praktisch unmöglich ist. Um die Tabby-Zeichnung auf Körper, Beinen und Schwanz zu eliminieren, müßte die Katze eine Aguti-Tabby sein. Sie müßte außerdem golden sein oder den Fuchsrot-Faktor enthalten, dann wäre die Farbe in den gelben Streifen zu einer warmen Aprikosenfarbe intensiviert, und die orangen und aprikosenfarbigen Streifen machten den Eindruck einer einzigen durchgehenden Farbe des Haarschafts. Dann müßten Polygene den roten Effekt vertiefen. Das Haar auf dem Gesicht muß so lang sein, daß das «M» auf der Stirne nicht mehr sichtbar ist.

Creme
Die Bemerkungen über Tabby und Rot treffen auch auf Creme zu. Mit sorgfältiger Zucht und guter Kenntnis der Genetik läßt sich die gewünschte, anscheinend durchgehende Farbe erreichen. Creme ist schwierig zu beschreiben, wie es ja auch schwierig ist, zueinander passende cremefarbene Wolle zu finden oder die Farbe mit Wasserfarben anzumischen. Viele Standards versuchen gar keine Definition der Farbe; sie präzisieren nur, es müsse sich um einen blassen Cremeton handeln, weder fawn-beige noch rötlich, rein und durchgehend ohne Schattierung oder stärker gefärbte Stellen. Die schwer zu erzielende Cremefarbe sollte eine blasse Lederfarbe sein, niemals rot oder dunkel. Ist zuviel Rot drin, so nennt man sie «hot cream» (heiße Creme), was nicht erwünscht ist. Junge Creme-Erwachsene sehen oft schattiert aus, denn sie haben helle,

Perser, Schildpatt

Perser, blau Smoke ♂ 0.11

Begriffsverwirrung, und auch die Genetiker sind sich nicht einig, welche Allele für Farbveränderungen verantwortlich sind. Worum es sich bei diesen Farbvarianten – gehe es um Amerikanisch Kurzhaar oder um Türkische Angoras – handelt, ist eine überlagernde Schicht von Farbe auf hellerer Farbe. Solches «Tipping» zeigt sich am klarsten beim Perser, dank dem dicken Fell, den langen Grannenhaaren und der reichlichen Unterwolle.

elfenbeinfarbene Unterwolle. Ungern ziehen die Richter dann Punkte ab oder verweisen die Katzen in die Abteilung «schattierte Katzen». Diese anscheinende Schattierung verblaßt dann mit zunehmendem Alter; es kann mehrere Jahre dauern, bis sie verschwindet und die Cremefarbe sich fest etabliert. Wenn der Haarschaft wächst, werden die meisten Farben an den Spitzen dunkler und in Richtung des Körpers heller.

Getippt
Schattiert! Getippt! Farbvarianten. Welche Allele sind beteiligt und wo sind sie? Bei dieser Farbgruppe herrscht

Perser, schwarz Smoke ♂ 0.08

Perser, Blaue Tortie Smoke ♀ 0.08

Die Haarspitzen sind entweder mit eumelanistischer oder phäomelanistischer Farbe pigmentiert; der tiefer liegende, nicht pigmentierte Teil ist silberweiß. Bei roten und cremefarbenen Katzen kann der untere Teil eher elfenbein- als silberweiß sein. Katzen, die getippt sind, aber kein Silber aufweisen, werden goldene Chinchillas oder schattierte Goldkatzen genannt, denn die Unterfarbe enthält das goldene oder das Fuchsrot-Gen.

Chinchilla Silberperser sind atemberaubend. Sie funkeln, schimmern und reflektieren; wenn sie große, grüne Augen haben, ist der Kontrast unglaublich. Die Japaner haben wundervolle silberschattierte Chinchillas und golde-

Colourpoint, schwarz ♂ 0.06

Colourpoint, Schildpatt ♀ 0.06

ne Perser. In den USA gibt es nicht viele Züchter von Chinchillas oder schattierten Silberpersern; nur wenige brachten die vollkommene Kombination von schöner schattierter Farbe und Perser-Körptertyp zustande. Die Situation war für manche Züchter so frustrierend, daß sie forderten, Chinchillas und schattierte Perser als separate Rasse anzuerkennen, aber sie drangen nicht durch.

Die Schwierigkeit scheint zu sein, daß die Silberperser, wenn miteinander gepaart, ihre grünen Augen zwar behalten, aber der Typ verlorengeht. Versucht man Silberschattierung mit durchgehender Farbe, so befriedigt der Typ, aber die Augenfarbe geht verloren. Das gilt nicht für alle Silberschattierten. Herrliche Chinchilla Silberkatzen wurden in den letzten Jahren in den Vereinigten Staaten ausgestellt.

Die schattierte Schwarze ist ähnlich wie der schattierte Silberperser, nur die Augenfarbe ist kupfer oder orange, und die Unterwolle ist weiß ohne Silber.

Cameo oder rote Chinchillas

Der Silberchinchilla ist der roten «Shell» oder «Cameo»-Chinchilla ebenbürtig. Man kann die Farbe fast nicht in Worte fassen. Eine dünne Schicht von Orangensorbet liegt auf Vanille-Eiscreme; der Zweischichten-, Zweifarbeneffekt ist deutlich. Die Augenfarbe ist kupfer oder orange.

Smokes

Die Smoke-Tortie zeigt ein schwarzrotes Tipping auf weißer Unterfarbe. Die Smoke Blue Tortie ist zart gefärbt. Eine schwarze Smoke scheint durchgehend schwarz, bis man das Haar teilt und einen wunderschönen Kontrast mit silberweißer Unterfarbe entdeckt. Manche sind der Ansicht, Smokes seien Nicht-Agutis und nicht Tabbies. Es kommt darauf an, was man unter Smoke versteht. Wenn Smoke heißt, daß drei Viertel des Haarschafts pigmentiert sind, kann man jeder einfarbigen Katze und jeder Zeichnung einen Smoke-Effekt beigeben. Traditionell aber bezieht sich Smoking auf das Tippen einfarbiger Katzen und Torties; Silber bezieht sich auf Tabbies (mit erkennbarer Tabby-Zeichnung), und Chinchilla oder schattiertes Silber bezieht sich auf Silbertabbies mit wenig oder gar keiner erkennbaren Tabby-Zeichnung.

Perser, schattiert silber

Perser, Chinchilla Silver ♀ 4.04

Perser, schattiert golden ♂ 1.08

Fellpflege

Perser haben sehr dicke Unterwolle; das Haar wirkt deshalb dick und plüschartig, neigt aber zum Verfilzen. Man muß sie dauernd kämmen und bürsten, um dem Verfilzen zuvorzukommen, und sie müssen öfter gebadet werden. Große, verfilzte Büschel bilden sich sehr rasch und können oft nicht ausgekämmt werden, sondern man muß sie herausschneiden. Blaue Perser neigen am meisten zum Verfilzen; manche kann man ein paar Tage lang ungekämmt lassen, andere brauchen tägliche Pflege. Legen Sie sich keine Perser zu, wenn Sie nicht genug Zeit haben für ihre Pflege. Jeder Richter sollte mindestens einmal eine Perser ausstellen, damit er weiß, was der Aussteller durchmacht, um ein tadellos gepflegtes Tier zu präsentieren.

Perser, schattiert silber und schattiert golden

Exotisch Kurzhaar, roter getupfter Tabby ♂ 0.09

Exotisch Kurzhaar, schwarz ♀ 2.11

Exotisch Kurzhaar: Kopf rund, breit, gewölbt; Stupsnase, deutlicher Break. Volle Wangen. Stirne, Nase und Kinn in gerader Linie. Ohren klein, weit auseinanderstehend. Körper gedrungen. Fell kurz und dicht.

Exotisch Kurzhaar

Die Exotisch Kurzhaar ist eine vom Menschen gezüchtete Rasse, das Ergebnis gezielter Bemühungen, einen Persertyp ohne Langhaar zu schaffen. Man fing in den USA in den sechziger Jahren damit an, und viele Züchter von Persern protestierten lautstark. Aber schließlich führte Beharrlichkeit dazu, daß Exotisch Kurzhaar zu Championship-Konkurrenzen zugelassen wurden, und sie erregten allgemeines Entzücken.

Um das Kurzhaar-Allel einzubringen, mußten die Perser mit einer anderen Rasse gekreuzt werden; die meisten Züchter wählten die Amerikanisch Kurzhaar. Auch Burma und Britisch Kurzhaar wurden eingesetzt, aber seit 1968 ist das Einkreuzen dieser Rassen nicht mehr erlaubt. Viele der ersten Exotischen hatten keinen guten Persertyp, aber die heutigen können sowohl den exquisiten persischen Körperbau haben wie auch deren sanften Charakter.

Die Züchter der Exotisch Kurzhaar sind sehr anspruchsvoll, was die Länge und Textur des kurzen, dichten, plüschartigen Fells angeht. Sind die Grannenhaare zu lang, wirkt das Fell

Exotisch Kurzhaar, Schildpatt ♀ 0.09

Exotisch Kurzhaar, blau ♂ 2.05

Exotisch Kurzhaar/Blauer Tortie-Perser

fallend, was nicht erwünscht ist. Es sollte viel Unterwolle vorhanden sein. Der Rasse sagt man nach, sie seien «Perser im Pyjama», weil bei den Langhaarpersern mancher Mangel mit dem Fell verdeckt werden kann, aber bei der Exotisch sieht man, was man bekommt. Bei TICA wurden kürzlich Exotisch Kurzhaar mit Abzeichen sowie Particolor Points zugelassen. Ab Mai 1989 anerkennt die Vereinigung alle Farben und Zeichnungen, einschließlich Sepia und Mink. Die Exotischen mit Abzeichen haben ein entzückendes Farbmuster; man nennt sie manchmal Pandabären.

Die kuscheligen Exotisch haben die Eigenschaften von Persern, ohne daß ihr Fell dauernd gepflegt werden müßte, und so sind sie nicht nur als Ausstellungskatzen, sondern auch als Heimtiere beliebt.

Exotisch Kurzhaar, blau mit weiß ♀ 0.

Exotisch Kurzhaar, schwarz mit weiß ♂ 3.07

Colourpoint Blue Point ♀ 0.06

Colourpoint: Kopf rund, breit, gewölbt, Stupsnase, Stirn, Nase und Kinn in einer Linie, volle Wangen. Ohren klein, weit auseinanderstehend. Augen groß, rund, weit auseinanderstehend. Körper gedrungen. Fell lang. Zeichnung mit Abzeichen.

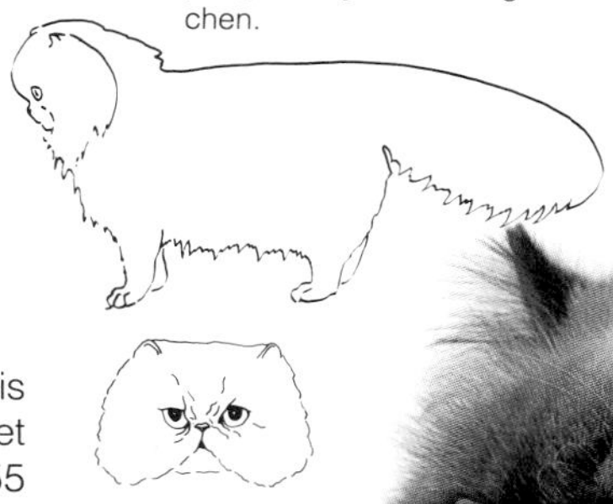

Colourpoint

Die Idee der Colourpoint läßt sich zu einem Genetiker in Schweden zurückverfolgen, der 1922 versuchte, das Point-Allel in den Genpool der Perser einzuführen. Langhaarige weiße Katzen wurden mit Siamesen gekreuzt. Ob dies erfolgreich war, weiß man nicht, da die entsprechenden Aufzeichnungen nicht verfügbar sind. 1924 wurde von Langhaarkatzen mit Abzeichen berichtet, die man Malaiische Perser nannte, aber diese Katzen verschwanden wieder.

Die heutige Colourpoint wurde in den dreißiger Jahren in England und Nordamerika entwickelt. Die amerikanische Zucht kombinierte Siamesen mit Smoke-, Silbertabby- und schwarzen Persern. Aus diesen Kreuzungen gingen mehrere Kurzhaarkätzchen hervor. Zwei davon wurden gepaart; das Resultat war ein langhaariges schwarzes Weibchen, das man mit seinem Vater rückkreuzte. So wurde 1935 in den USA das erste Langhaarkätzchen mit Abzeichen geboren. Es hatte fünf Jahre gebraucht, das «Debutante» genannte Kätzchen zu produzieren. Im Typ war es sehr siamesisch. Die Zuchtversuche in den Vereinigten Staaten hatten hauptsächlich dem Zweck gedient, mehr über die Katzengenetik zu erfahren. Die englischen Züchter hingegen arbeiteten auf eine neue Rasse hin.

Jahre harter Arbeit vergingen, bis der notwendige Stammbaum, errichtet über drei Generationen, vorlag. 1955 erhielten die Colourpoints eine Rassennummer und einen Standard; 1957 erreichten sie die Zulassung zu Champion-Wettbewerben. Bis 1960 anerkannten alle Verbände sie als separate Rasse; verschiedene Farben und

Colourpoint Seal Point ♂ 1.00

Colourpoint Red Point ♂ 0.11

Zeichnungen wurden jedoch zugelassen. TICA anerkennt alle Farben mit Abzeichen, auch mit Particolor-Abzeichen. Die ersten Colourpoints gleichen der heutigen nicht. Es gab keine andere Wahl, als Siamesen einzukreuzen, um das Point-Allel zu erhalten. So kam es zur Bevorzugung eines feinen Knochengerüsts, eines geraden Profils, größerer Ohren, keilförmiger Köpfe, langer Körper und schmaler, langer Schwänze – alles bei Persern total unerwünscht. Die Erzielung und Beibehaltung der blauen Augenfarbe war ein weiteres Problem. Man glaubte, die Kreuzung mit Persern, die hellblaue Augen hatten, würde das tiefe Blau, das man so sehr wünschte, erbringen. Das erwies sich als falsch. Die Augenfarbe läßt sich nur verbessern, wenn man die Colourpoint mit einem Perser kreuzt, dessen Augen möglichst dunkel sind, zum Beispiel kupfer.

Das Ziel der Colourpoint-Züchter, einen Perser mit Abzeichen hervorzubringen, war eins der schwierigst zu erreichenden bei der Schaffung neuer Rassen. Eine Weile war nur die Paarung unter Colourpoints erlaubt. Wie bei den Siamesen arbeiteten die Züchter mit vollfarbigen Abzeichen und hatten stets die Verbesserung des Typs vor Augen. Bei jeder Einführung eines Farbmusters wie Tortie oder Tabby mußten die Züchter einen Schritt rückwärts tun; das neue Muster verschlechterte den Typ. Die Züchter sahen bald ein, daß sie wieder Perser einsetzen mußten, um den Typ nicht zu verlieren. Heute sind die Bemühungen vieler Jahre ein Wunder in den Ausstellungen und ein Anlaß zu Stolz. Colour-

Colourpoint Red Point ♂ 0.02

point-Züchter arbeiten immer noch hart daran, einen Perser mit Abzeichen zu schaffen.

Die Silver Lynx Abzeichen könnten sich als wundervolle Bereicherung erweisen. Silber sollte die Farbe der Abzeichen verstärken und diejenige des Körpers blasser machen. Silber- und Gold-Allele dürften die Farben der Colourpoint ebenso günstig beeinflussen, wie sie es bei Persern taten. Heute gibt es Colourpoints mit ausgezeichnetem Perser-Typ, prächtig gefärbten Körperspitzen und blauen Augen.

Colourpoints sind als ruhig bekannt; es gibt wenig, das sie aufschreckt. Dennoch ist ihre Neugier intakt. Sie rennen, springen oder klettern selten. Manchmal haben sie plötzlich einen Schub Energie und tollen wie Kätzchen umher, aber meistens sind sie mit einem sehr ruhigen Leben zufrieden. Colourpoints sind so ruhig, daß die Weibchen hin und wieder nicht einmal mit lautem Rufen bekanntgeben, daß sie rollig sind. Sie eignen sich gut für das Leben in einer Stadtwohnung, wo man laute Geräusche nicht schätzt, und sie sind nicht so anspruchsvoll wie Katzen vom fremdartigen Typ. Die meisten lieben es, gebürstet zu werden. Sie benehmen sich an Ausstellungen sehr gut und machen dem Richter sehr selten Schwierigkeiten dank ihres sanften Charakters. Sie sind die wahren Edelleute der Katzenwelt.

Colourpoint Cream Point ♂ 0.05

Colourpoint Tortie Point ♀ 4.01

Ragdoll

Die blauäugige, halblanghaarige Ragdoll ist eine der größten und fügsamsten Rassen. Sie liebt es, von ihrem Besitzer auf den Schultern herumgetragen zu werden, und ist dabei so entspannt wie eine Stoffpuppe («Ragdoll»).

Ursprung

Der genaue Ursprung der Ragdoll ist unbekannt. Wahrscheinlich ist die Rasse nur etwa zwanzig Jahre alt, und man weiß nicht, ob sie aus gezielter Zucht oder einer Laune der Natur heraus entstanden ist. Erste Ragdolls, so lautet eine Geschichte, wurden von einer weißen Angora geboren, die bei einem Autounfall verletzt worden war. Wegen dieses Unfalls seien die Kätzchen frei von Schmerz und Furcht und ließen alles mit sich machen. Die meisten Biologen würden dieser Theorie widersprechen!

Der Genotyp der Ragdoll müßte zwei Allele enthalten: das Point-Gen und das Weißfleck-Gen. Wenn ein Elternteil ein weißer Perser war, wäre sie wahrscheinlich dominant weiß mit weißen Flecken gewesen und hätte ein Point-Gen mit sich geführt. Man weiß nichts über den Vater. Er hätte entweder eine Katze mit Abzeichen oder mit Point-Gen sein müssen.

Allgemeine Beschreibung und richterliche Beurteilung

Die Ragdoll ist eine halblanghaarige Katze mit Abzeichen, und sie ist recht groß, von sehr sanftem und fügsamem Wesen. Die ideale Ragdoll wird ausnehmend groß und schwer. Die Farben sind erst nach zwei Jahren voll entwickelt. Volles Gewicht und Größe werden erst mit vier Jahren erreicht.

Der Kopf ist mittellang und ein breiter, modifizierter Keil mit runden Umrissen; zwischen den Ohren ist er flach. Das Nasenprofil zeigt einen sanften Stop. Die mittelgroßen Ohren setzen die Keilform des Kopfes fort. Die Augen sollen blau, groß und oval sein.

Die Katze sollte sich fest anfühlen und nur am Unterbauch Fett aufweisen. Der lange Körper ist groß und kräftig, mit voller, breiter Brust. Der Schwanz ist lang. Die Beine sind mittellang, mit mittelschweren Knochen und Muskulatur. Die Hinterhand soll höher sein als die Vorderhand. Die Füße sind groß, rund und tragen Haarbüschel zwischen den Zehen.

Das halblange Fell liegt am Körper, öffnet sich aber, wenn sich die Katze bewegt. Es ist am längsten um den Hals herum und sieht dort aus wie ein Lätzchen. Am kürzesten ist es im Gesicht, mittellang bis lang ist es an den Flanken, am Bauch und an den Hinterbeinen, wo es federnähnlich aussieht.

Farben und Zeichnungen

Ragdolls werden mit einfarbigen und mit Particolor-Abzeichen gezeigt, in den Farben Seal, Chocolate, Zimtrot, Blau, Frost und Fawn-Beige. Die hellere Körperfarbe sollte sich bis zu den Haarwurzeln erstrecken. Sind Handschuhe vorhanden, so zeigen Beine (ausgenommen die Füße), Ohren, Maske und Schwanz eine klar definierte Farbe. Eine weiße Blesse, asymmetrisch oder symmetrisch auf der Nase oder zwischen den Augen, wird akzeptiert. Die Vorderfüße weisen zwei gleich große, weiße Handschuhe (Zehen) auf. Die Hinterfüße sollen bis höchstens zur Schenkelmitte weiß sein. Das Weiß muß die Fesseln ganz umspannen. Der Körper kann einen

Ragdoll Seal Point ♂ 4.07

Ragdoll Blue Mitted ♂ 0.08

Ragdoll: Kopf breit, modifizierter Keil, leichter Stop. Ohren mittelgroß; Augen groß und oval. Körper lang, kräftig. Fell halblang. Einfarbige und Particolor (mit Handschuhen und Bicolor) -Abzeichen.

weißen Streifen von unterschiedlicher Breite haben, der vom Lätzchen bis zum Bauch oder bis zum Schwanzansatz verläuft.

Bei der Bicolor-Zeichnung sind Ohren, Maske und Schwanz von gut definierter Farbe. Die Maske muß ein umgekehrtes «V» enthalten, das sich nicht über die äußere Augenöffnung erstreckt. Brust, Bauch und alle vier Beine sollen weiß sein. Die Körperfarbe darf etwas heller sein als die Abzeichen und weiße Markierungen aufweisen.

Charakter

Ragdolls sind gefügig, sanft, ruhig; es läßt sich leicht mit ihnen auskommen. Sie genießen menschliche Gesellschaft und nehmen die Wechselfälle des Lebens gleichmütig entgegen. Es sind angenehme und rührende Heimtiere und auf Ausstellungen wegen ihrer Sanftheit leicht zu handhaben. Kinder und Ragdolls passen gut zusammen; die Katzen scheinen sich mit Wonne von Kindern umhertragen zu lassen.

Ragdoll Seal Mitted ♂ 1.02

Russisch Blau

Mit ihrem silbergetippten blauen Haar, ihren grünen Augen und ihrem dicken, doppelten Fell ist diese «Erzengel Blue» aus Rußland von allen anerkannten anderen Rassen verschieden. Sie kann zu den Vorfahren einiger der heute bekannten «blauen» Katzen gehören.

Ursprung

Die Russisch Blau stammt eventuell aus der Gegend um Archangelsk in Nordwestrußland. Handelsleute brachten sie Mitte des 19. Jahrhunderts nach Europa. Sie wird auch Malteserkatze oder Spanisch Blau genannt. Sie soll schon 1871 im Crystal Palace in London ausgestellt worden sein, zusammen mit anderen blauen Rassen, nicht als Rasse für sich. 1912 wurden sie als eigene Rasse anerkannt. Sie wurden immer beliebter bis zum Zweiten Weltkrieg, als sie wie so viele andere Katzenrassen in England beinahe ausstarben. Sie überlebten dank der Anstrengung eines einzigen Züchters.

Die ersten Russisch Blau hatten orangefarbene Augen; im Gegensatz zu den heutigen war ihr Körper gedrungen und der Kopf rund. In den vierziger und fünfziger Jahren begannen skandinavische Züchter mit der Einkreuzung von Siamesen, die das Verdünnungs-Gen mit sich führten. Britische Züchter versuchten dasselbe mit Blue Point Siamesen. Mit der Einführung siamesischer Gene in den beschränkten Genpool der Russisch Blau veränderten sich Körpertyp und Augenfarbe. Die Russisch Blau wurde länger und feinknochiger, und die Augen wurden grün.

Russisch Blau ♀ 1.03

Allgemeine Beschreibung und richterliche Beurteilung

Die Russisch Blau ist eine elegante Katze. Man erkennt vielleicht nicht sofort den fremdartigen Körpertyp, da er von einem dichten, doppelten Fell bedeckt ist. Bevorzugt wird die hellere silberblaue Farbe. Der Haarschaft sollte blaßblau sein mit Silber-Tipping, so daß jedes Haar das Licht zurückwirft und das Fell so funkelt, daß man fast geblendet wird. Eine Russisch Blau fühlt sich an, als streiche man über eine Seidenschärpe.

Die fast runden grünen Augen stehen weit auseinander. Auch die Ohren sind weit voneinander und ziemlich tief an den Kopfseiten angesetzt. Die Katze sollte einen sanften, lächelnden Ausdruck haben. Der Kopf ist ein eckiger, modifizierter Keil mit sieben Flächen. Die erste reicht vom oberen Rand der Stirn zum Nasenrücken, die zweite vom Nasenrücken bis zum Nasenende, die dritte von der Nasenspitze bis zum Kinn. Die vierte und fünfte Fläche beruhen auf der Schädelform; sie befinden sich an den Seiten des Kopfes unterhalb jeden Ohres bis zum Ansatz der Schnauze. Die sechste und siebente verlaufen von den beiden Seiten der Schnauze bis zum Kinn.

Russisch Blau: Kopf modifizierter Keil mit flachen Ebenen. Ohren groß, weit auseinander. Augen groß, fast rund, grün. Körper fremdartig. Fell Kurzhaar doppelt. Farbe: durchgehend silberblau.

Russisch Blau ♂ 2.11

Russisch Blau ♂ 0.05

Charakter

Die sanfte und scheue Russisch Blau erschrickt leicht und möchte feinfühlig behandelt werden. Einige der Russisch Blau von 1960 waren bösartig. Viele Richter seufzten erleichtert auf, wenn sie mit dieser Rasse fertig waren, weil sie wieder einmal nur beinahe lebendig gefressen wurden. Aber Russisch Blau, die aus Schweden eingeführt wurden, brachten ein liebevolles und sanftes Wesen dazu, und heute ist die Rasse eine Freude für alle Halter. Sie zeigen Zuneigung und sind ihren Besitzern treu.

Scottish Fold/Langhaar Scott

Mit ihren riesigen runden Augen, ihren langsamen, bedächtigen Bewegungen und den nach unten gefalteten Ohren ist die Scottish Fold eine einzigartige Katzenrasse.

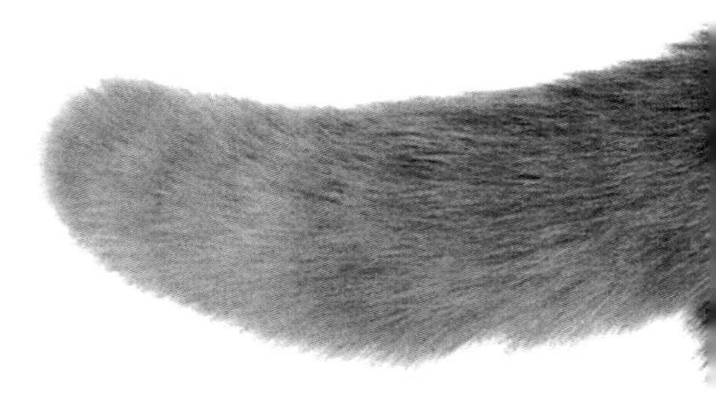

Scottish Fold Blue Tortie ♀ 0.11

Scottish Fold blaugetigert mit Weiß ♀ 0.06

Fold

Ursprung

Dies ist eine neue Rasse, an deren Anfang eine spontane Mutation steht, die 1961 entdeckt wurde. Auf der McRae-Farm in Schottland wurde ein weißes Kätzchen mit Faltohren geboren. Diese Katze namens Susie bemerkte William Ross, ein schottischer Schafhirte. Die McRaes versprachen ihm, Ross und seine Frau zu benachrichtigen, falls noch mehr Kätzchen mit Faltohren erschienen. Zwei Jahre später hatte Susie Junge, und zwei davon hatten Faltohren. Eines war ein Kater, der als Heimtier verschenkt wurde. Das andere, ein weißes Weibchen namens Snooks, bekamen die Rosses. Snooks gebar ein weißes Männchen mit Faltohren, und das Zuchtprogramm für Scottish Fold nahm seinen Anfang.

Das Gen, das die Ohren faltete, war eine nicht tödliche Mutation, ein einziges dominantes (möglicherweise unvollständig dominantes) Gen. Es beeinflußt die Ohrenknorpel und eventuell auch andere Knorpel im Körper. Die Zucht ist etwas umstritten. Manche Züchter fürchten, daß, wenn homozygote dominante Gene gepaart werden, andere Abnormitäten zum Vorschein kämen. Die Füße könnten ähnlich wie bei Arthritis verkrüppelt sein, oder Knorpel könnten um die Gelenke wuchern und es der Katze schwer machen zu gehen. Züchter fanden auch heraus, daß ein kurzer, steifer Schwanz auf andere Versteifungen im Körper der Katze hinweist. Die genaue Ursache dieser Erkrankung ist unbekannt. Wenn die Versteifung durch Veränderungs-Gene verursacht wird, kann man deren Wirkung durch gezielte Züchtung vermindern oder ausschalten. Andere Züchter halten solche Befürchtungen für unbegründet und machen geltend, sie hätten homozygote Dominanten gepaart ohne Nachteile. Welche Katzen man einkreuzt, ist natürlich wichtig für die Erzielung gesunder Kätzchen, behaup-

Scottish Fold Schildpatt mit Weiß ♀ 0.09

Scottish Fold: Kopf rund, leicht konvexe Kurve zu kurzer Nase, vorstehende Wangen. Ohren mittelgroß, gefaltet. Augen groß, rund. Körper halb gedrungen. Fell kurz und dicht.

Scottish Fold blaugetigert ♂ 1.00

ten die Züchter, gemäß denen nur Faltohrkatzen des heterozygoten Genotyps gezüchtet werden sollten. Die Rasse wurde in England durch Einkreuzen von British Shorthairs und Hauskatzen entwickelt; in Amerika verwendet man exotische Katzen sowie American und British Shorthairs. Die British Shorthair hat ein dichteres Fell und rundere Augen.

Scottish Fold rotgetigert mit Weiß

Allgemeine Beschreibung und richterliche Beurteilung
Die Kätzchen werden mit aufrechten Ohren geboren; diese falten sich erst im Alter von zwei bis drei Wochen. Der Gesamteindruck der Scottish Fold ist: rund. Die kleinen bis mittelgroßen Ohren sitzen wie eine Kappe auf dem runden Schädel und sind nach vorn und nach unten gefaltet. Ein kleines, eng gefaltetes Ohr wird einem größeren, loser gefalteten Ohr vorgezogen. Die großen, runden Augen liegen beidseits einer breiten Nase. Runde, volle Wangen und eine ebensolche Schnauze tragen zum gewünschten vollen Aussehen bei. Im Profil sieht man einen leichten Stop.

Der Halbcobby-Körper ist mittelgroß, gut gepolstert und von Kopf bis Hüfte gleichmäßig. Der Körper und die mittellangen bis kurzen Beine haben einen mittelstarken Knochenbau und sind gut bemuskelt. Der Schwanz läuft spitz zu, ist nicht kürzer als zwei Drittel der Körperlänge und muß beweglich sein. Das dichte, federnde Fell ist kurz oder halblang.

Langhaar Scottish Fold

Die ersten Züchter in Großbritannien kreuzten Susie und ihre Nachkommen mit Britisch Kurzhaar. Da in diesem Land Perser legal zu Britisch Kurzhaar eingekreuzt werden dürfen, gelangte das Langhaar-Gen in den Genpool. Susie und ihre Tochter Snooks warfen beide langhaarige Kätzchen, und seit vielen Jahren erscheinen in Würfen kurzhaariger Faltohrkatzen auch langhaarige.

TICA gewährte der langhaarigen Scottish Fold das Recht, an Championship-Konkurrenzen teilzunehmen, im Mai 1987. Für die Langhaarigen gilt der Standard für Kurzhaarige, außer in bezug auf Textur und Länge des Fells. Das dichte, halblange Haar sollte vom Körper abstehen.

Charakter
Scottish Fold sind sehr liebe, sanfte, ruhige Katzen. Sie verlangen nichts vom Leben, außer in der Nähe geliebter Menschen sein zu dürfen.

Scottish Fold Brown Classic Tabby mit Weiß ♂ 1.05

Langhaar Scottish Fold Brown Classic Tabby ♂ 0.06

Scottish Fold Longhair: Kopf rund mit vorstehenden Wangen. Ohren mittelgroß, gefaltet. Augen groß, rund. Körper halb gedrungen. Fell halblang, dicht.

Siamesen/Balinesen/Oriental

Die geschmeidigen und graziösen, langen und schlanken Orientalen, Siamesen und Balinesen, sind die Primadonnas und Ballettänzerinnen der Katzenwelt.

Allgemeine Beschreibung und richterliche Beurteilung

Folgende Rassen nennt man orientalisch: Orientalisch Kurzhaar; Orientalisch Kurzhaar mit Abzeichen (Siamesen), Orientalisch Langhaar und Orientalisch Langhaar mit Abzeichen (Balinesen). Diese vier Rassen haben denselben Körpertyp und unterscheiden sich nur in Farbe, Zeichnung und Haarlänge.

Sie sind schön, und das wissen sie. Der orientalische Typ ist durch große Ohren gekennzeichnet, einen keilförmigen Kopf, einen langen Hals und Körper und lange Beine, sowie einen langen, peitschenähnlichen, spitzen Schwanz. Eine Siamesin oder Orientalin zu berühren ist, als fühle man einen Seidenhandschuh auf einer eisernen Faust. Diese Katzen sind feinknochig, sehen zerbrechlich aus und haben extrem lange, elegante Körperspitzen, aber ihre Muskeln sind fest und hart. Sie sollten sich so fest anfühlen wie Fels und dürfen niemals abgemagert oder zu dünn sein.

Der keilförmige Kopf, der in einer zarten Schnauze endet, sollte in einem langen Dreieck Platz haben. Im Profil verläuft eine gerade Linie, ohne Senkung oder Hebung, von der Stirnmitte bis zur Nasenspitze und von der Nasenspitze zur Kinn-Unterseite. Die Linie von der Kinnseite bis zum Ohrenansatz sollte ebenfalls gerade sein, ohne Einbuchtung, wo die Schnauze am Schädel befestigt ist. Große, unten breite Ohren vervollständigen das vom keilförmigen Kopf gebildete Dreieck; sie sollten leicht nach vorne geneigt

Siamese Chocolate Point ♀ 1.08

Siamese Seal Point ♀ 1.04

h Kurzhaar/Langhaar

sein. Manche Richter und Züchter ziehen den englischen Ohrenansatz, weiter auseinander und tiefer am Kopf stehend, vor.

Die mittelgroßen, mandelförmigen Augen sollten etwa eine Augenlänge voneinander entfernt und leicht schräg zur Nase stehen; der äußere Augenwinkel zeigt auf die Mitte der Ohrenbasis. Diese Verbindung von Augenform, -größe, -stellung und Neigung verleiht den Augen einen entschieden orientalischen Ausdruck. Ist die Stirn zu breit, liegen die Augen zu weit auseinander, und die Katze sieht nicht so aus wie erwünscht. Der schlanke, graziöse Hals wird aufrecht getragen, so daß seine Länge zur Geltung kommt, und erhöht die Eleganz der Katze.

Der lange, rohrförmige, schmale Körper ist mittelgroß, mit feinem, schlankem Körpergerüst und harten Muskeln. Auch die Beine sind lang und feinknochig, die hinteren sind etwas länger als die Vorderbeine. Die Füße sind oval, klein und zierlich. Der Schwanz ist lang, schon am Ansatz schmal und peitschenähnlich.

Siamesen und Balinesen tragen Abzeichen, die Orientalisch Kurzhaar und die Orientalisch Langhaar hingegen haben Farbe und Zeichnung. Siamesen und Orientalisch Kurzhaar sollten kurzes, eng anliegendes Fell haben, als wäre es mit glänzendem Lack hingepinselt. Balinesen und Orientalisch Langhaar sollten halblanges Fell haben; das Haar auf dem Schwanz ist gewöhnlich länger als das Körperhaar.

Siamesen

Ursprung

Siamesen sollen aus Siam (Thailand) stammen. Alte Gemälde zeigen eine Katze mit dunklerer Färbung auf Ohren, Gesicht, Pfoten und Schwanz.

Die ersten Siamesen in England und Amerika sind, mit Ausnahme der Farbe, den heutigen Ausstellungskatzen wenig ähnlich. Sie hatten kurze, gedrungene Körper, runde Augen und kurze, runde «Apfelköpfe». Die besten Ausstellungskatzen von heute sind sehr extrem, lang und nach jeder Seite gestreckt.

In den sechziger Jahren wurde in den USA eine große Anzahl von Siamesen ausgestellt. An der großen Katzenschau der Cat Fanciers' Associa-

Siamese Blue Point ♀ 2.03

Siamesen: Kopf lang, keilförmig, geradlinig. Ohren groß. Augen mittelgroß, mandelförmig, schrägstehend. Körper: orientalisch. Fell Kurzhaar. Zeichnung mit Abzeichen.

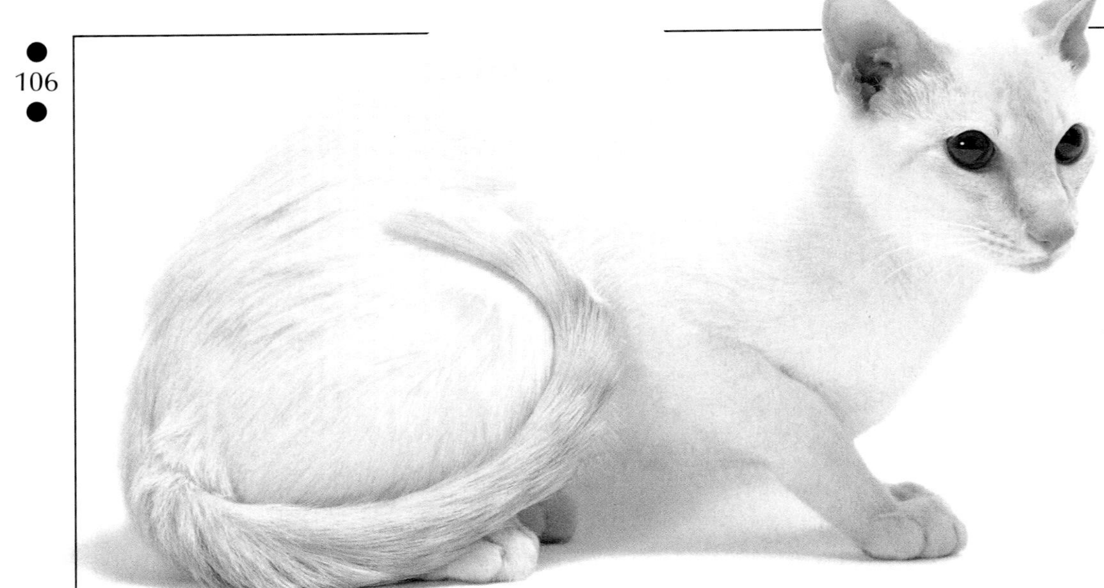

Siamese Red Point ♂ 0.09

Ausstellungskarriere einer Siamesin gewöhnlich mit achtzehn Monaten vorbei ist. Ihre Farbe kann sich, wenn sie älter wird, verdunkeln, und viele Richter geben einer Siam mit dunklem Körper keinen Preis. Siamesen haben keine Chance, sich zu entwickeln und zu reifen, bevor sie wegen der Farbe aus den Konkurrenzen austreten. (Orientalen dagegen lassen sich wunderbar als Kätzchen vorführen; dann wachsen sie und werden in dieser Zeit nicht ausgestellt, kommen mit etwa achtzehn Monaten zurück und werden mit jedem Monat besser.) Viele Leute wollen für eine Katze nicht Hunderte von Dollars ausgeben, wenn die Ausstellungszeit so kurz ist.

tion in Houston zählte man oft fünfundsechzig bis siebzig Siamesen. Für die achtziger Jahre gilt das in den Vereinigten Staaten nicht mehr. Acht bis zehn Siamesen sind schon ziemlich viel; meist werden aber nur zwei oder drei angemeldet. Was ist da geschehen? Manche Züchter glauben, ihre Kollegen seien zu sehr auf das gewisse Aussehen bedacht gewesen. Wenn in den sechziger und siebziger Jahren Siamesen so aussahen, zählte zu ihren Ahnen höchstwahrscheinlich ein Kater namens Fan Tee Cee. Tee Cee soll der Siamese gewesen sein, der das ganze Rassenkonzept umwarf. Er erschien plötzlich auf den Katzenausstellungen anfangs der sechziger Jahre und überflügelte mühelos alle anderen Siamkatzen. Sein Kopf und sein Körper waren sehr lang, seine Augen mandelförmig, sein Fell kurz. Es gab Aussteller, Richter und Züchter, die diese extreme Erscheinung nicht ausstehen konnten, andere, die davon begeistert waren.

Siamese Chocolate Lynx Point ♂ 0.05

Tee Cee im Stammbaum zu haben, war gut; noch besser war eine Rückkreuzung. Dabei ist das Risiko stets groß, zwei unerwünschte rezessive Gene zusammenzubringen. Und je mehr Inzucht betrieben wird, desto kleiner werden die Würfe.

Ein weiteres Problem bestand darin, daß so viele Siamesen erhältlich waren, daß die Züchter ihre Kätzchen nicht mehr verkaufen konnten. Die Preise sanken, bis sich die Zucht nicht mehr lohnte. Dazu kommt, daß die

Siamesin Seal Lynx Point ♀ 1.00

Charakter

Siamesen und Orientalen sprechen gern; sie sprechen nicht nur gern, sie sind richtig laut. Eine rollige Katze ruft mit ohrenbetäubender Stimme; ein einsamer Kater ruft vierundzwanzig Stunden am Tag nach seiner Freundin. Man hört die Rufe über große Distanzen. Das macht es schwierig, wenn nicht unmöglich, solche Katzen unkastriert in der Stadt zu halten. Sind diese Katzen auch noch so liebevoll, die Nachbarn werden keine Freude daran haben.

Diese sprechfreudigste aller Rassen hält oft lange Zwiegespräche mit ihrem Eigner. Manche lieben diesen Dauerdialog, andere ertragen ihn nicht und ziehen eine ruhigere Rasse vor. Aber ihre echte Liebe zu Menschen verspricht ein enges Verhältnis.

Sie sind aktiv; der Kopf scheint ihnen vor lauter Aktivität zu wirbeln. Haben sie keine Spielgefährten, machen sie sich welche aus irgend etwas. Höhe inspiriert sie zu Hinauf- und Hinunterrennen; sie springen gerne, und man hat Sprünge von anderthalb Metern in jeder Richtung gesehen. Es sind keine Katzen fürs Freie. Die meisten versuchen überhaupt nicht, ins Unbekannte zu fliehen.

Gewöhnlich lieben sie warme Orte und genießen es, auf dem Heizkörper, dem Fernsehapparat, dem Computer oder was immer Wärme abgibt, zu schlafen. Sie haben nicht nur gern Menschen, sie wollen sie auch berühren und von ihnen berührt werden. Sie verlangen Aufmerksamkeit und Zuneigung. Mit Vorliebe reiten sie auf den Schultern des Besitzers, liegen ihm auf dem Schoß und schlafen mit ihm zusammen. Die meisten kuscheln sich unter die Decke und legen den Kopf aufs Kissen, so nah wie möglich beim Besitzer.

Siamesen und Orientalen brauchen wenig Fellpflege. Reibt man sie mit den Händen, so genügt das, um das Fell zu glätten und tote Haare zu entfernen. Frottiertücher oder Wildleder machen ihr Fell glänzend. Die Balinesen und die Orientalen müssen hin und wieder gekämmt werden, aber ihr Haar verfilzt nicht.

Diese superintelligenten Katzen sind wundervolle Heimtiere, wenn der Halter die unaufhörliche Begleitung ertragen kann. Geht man, so gehen sie neben einem; sitzt man, so springen sie einem auf den Schoß; ißt man, so sitzen sie daneben; schläft man, so liegen sie so nahe wie möglich. Es sind Freunde fürs Leben.

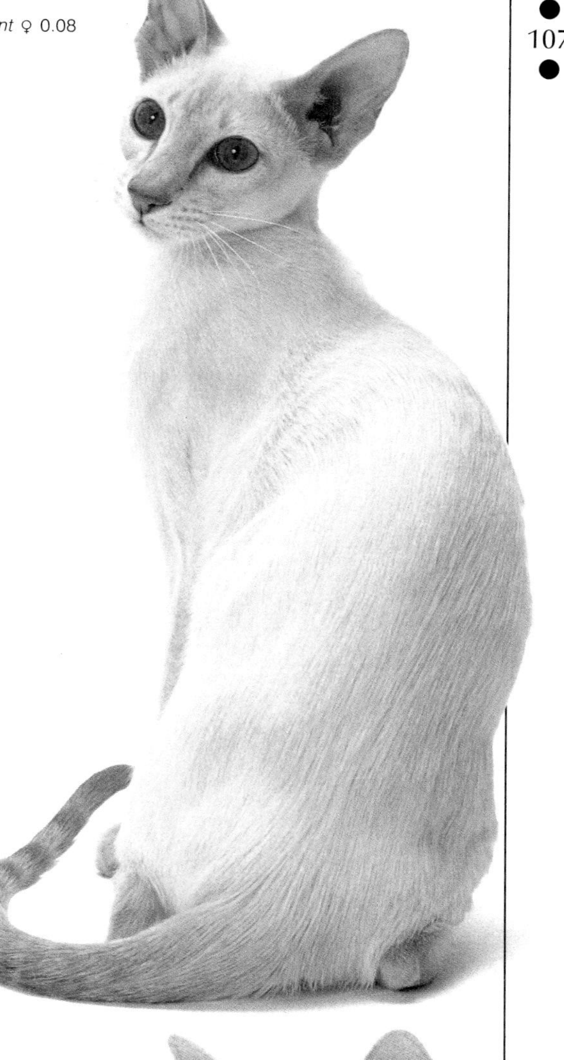

Siamesin Frost Lynx Point ♀ 0.08

Genetik

Das Point-Gen ist ein Allel der Albino-Serie. Siamesische Kätzchen werden weiß geboren. Das Gen, das die Beschränkung der Farbe auf die Körperspitzen verursacht, läßt zu, daß diese Points gefärbt werden, verhindert aber eine gleich intensive Färbung des Körpers. Die Körperspitzen sind kälter als der Körper; unter dem Einfluß des Point-Allels produzieren die kühleren Stellen mehr Pigment. Die Kätzchen haben bei der Geburt noch warm und sind deshalb noch weiß, ohne dunkles

Siamesin Cream Lynx Point ♀ 1.04

Balinese Frost-Point ♂ 1.08

Balinese Frost Lynx Point ♀ 0.11

Pigment. Im Maße, wie sich die Körperspitzen abkühlen, entwickeln sie Pigment. Der Körper selbst bleibt warm und daher hell.

Siamesen, die Fieber haben, bekommen manchmal in ihrer Maske Fieberhaar, d. h. weißes Haar. Wenn der Körper infolge eines Unfalls oder Haarausfalls eine kahle Stelle aufweist, wird das neu wachsende Haar dunkel und bleibt so, bis noch mehr Haar nachwächst. Bandagiert man die kahle Stelle, so wird das nachwachsende Haar heller. Der Körper neigt dazu, mit den Jahren dunkler zu werden als Folge der schlechteren Blutzirkulation.

Balinese Blue Point ♀ 1.00

Siamesen contra Colourpoint-Siamesen

Puristen sind der Ansicht, nur eumelanistische Abzeichen seien wahrhaft siamesisch. Absolute Puristen gehen noch weiter und glauben, nur Katzen mit Seal- und Blue-Abzeichen seien richtige Siamesen. Darf man Siamesen mit roten oder cremefarbenen Points oder siamesische Tabbies oder Torties züchten? Die Verbände sind sich da uneins; einige akzeptieren diese Zeichnungen als siamesisch und andere nennen sie ohne Ausnahme Color-Point Kurzhaar. Manche glauben, daß die Nachkommen einer Colourpoint, selbst wenn sie die Sealfarbe aufweisen, ohne Ausnahme auf immer Colourpoints bleiben. Für solche Verbände dürfen Siamesen nur mit Siamesen gepaart werden. Die Colourpoints wurden in England nach 1960 anerkannt. Bei TICA werden Siamesen mit allen Abzeichenfarben anerkannt, mit Ausnahme von Particolor.

Red Points

Das rote Gen wurde in den Gen-Pool der Siamesen um 1960 eingeführt aus mehreren Gründen. Einige Züchter hofften auf hellere Körperfarbe ihrer Seal Points (das ging nicht), andere

mochten einfach die Farbe. Die ersten Katzen mit roten und cremefarbenen Abzeichen zeigten ein deutliches Tabby-Muster; der Standard für einfarbige Abzeichen ließ jedoch keine Tabby-Markierungen zu. Damals verstanden nur wenige Züchter die Genetik des Phäomelanins, und die Tabby-Zeichnung konnte jahrelang nicht ausgeschaltet werden. Phäomelanin macht

Balinese Seal Lynx Point ♀ 2.05

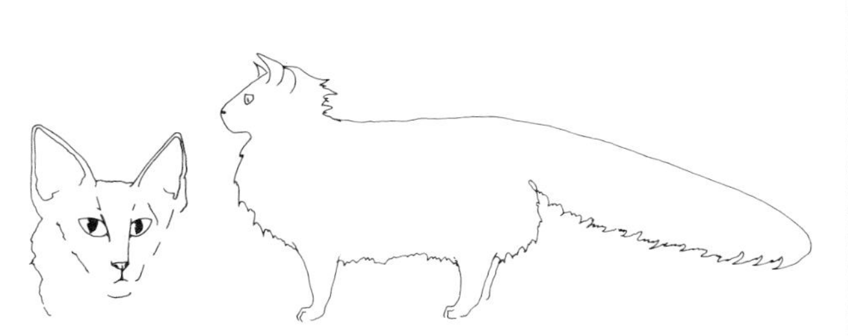

Balinese: Kopf keilförmig, geradlinig. Ohren groß. Augen mittelgroß, mandelförmig, schrägstehend. Körper orientalisch. Fell halblang. Zeichnung mit Abzeichen.

das Tabby-Muster sichtbar; alle roten oder cremefarbenen Katzen zeigen es mehr oder weniger stark. Das gilt auch für Katzen mit Abzeichen. Die Aguti- oder Aby-Tabby-Markierung ist die einzige, die das Sichtbarwerden der Tabby-Zeichnung verhindert, wenn sie, die Halsstreifen und die Schwanzringe nicht erwünscht sind. Als man dies begriffen hatte, war es möglich,

Balinese Chocolate Lynx Point ♂ 1.07

«klar» rote und cremefarbene Katzen zu erzielen. Das «M» auf der Stirne und andere Gesichtsmarkierungen bleiben stärker oder schwächer erhalten, Streifen, Halsketten und Schwanzringe können meistens weggezüchtet werden.

Offenbar war Phäomelanin nicht im ursprünglichen Gen-Pool; wahrscheinlich gelangte es durch die Amerikanisch Kurzhaar dorthin. Der orientalische Körpertyp würde für Jahre verloren, wollte man Phäomelanin einzuführen. Die erste Generation der Kätzchen wies keine Abzeichen auf, wenn die eingekreuzte rote Katze nicht das rezessive Point-Gen mit sich führte. Werden Kätzchen aus solchen Auskreuzungen mit Siamesen gepaart, hätten etwa die Hälfte Points.

Jetzt wurde es für die Züchter schwierig. Sie mußten nicht nur den orientalischen Körpertyp zurückholen, sondern arbeiteten auch mit dem geschlechtsgebundenen Orange-Gen und mußten bestimmte Farben eines bestimmten Geschlechts zustandebringen, um Junge der erwünschten Farbe und des erwünschten Geschlechts zu erhalten.

Rot hat viele Nuancen: Die Katze kann Seal Red, Chocolate, Red oder Zimtrot sein; bei Cremefarbe gibt es blaue, frost oder fawn-beige Tönungen (nicht zu verwechseln mit verdünnten Torties). Die Red Points und die Cream Points präsentieren einen herrlichen Kontrast zwischen roter Abzeichenfarbe, weißem Körper und blauen Augen.

Balinese Blue Lynx Point ♀ 0.09

Oriental Shorthair schwarz ♂ 1.02

Tortie Points

Die Einführung des roten Gens in den siamesischen Gen-Pool hatte u.a. auch das Erscheinen von Tortie Points zur Folge. Die Farben waren aber nicht Schwarz und Rot, sondern Seal und ein verändertes Rot; dies als Folge der Wirkung der Point-Allele auf schwarz und rot. Die Tortie-Point mit der erwünschten Blesse ist am auffälligsten; mitten über die Nase hinunter verläuft eine Trennlinie zwischen einer dunkelbraunen und einer roten Seite. Chocolate oder Zimtrot und Rot sind wunderschön warm getönt; Blau oder

Oriental Shorthair: Kopf lang, keilförmig. Ohren groß, Augen mittelgroß, mandelförmig, schrägstehend. Körper orientalisch. Fell Kurzhaar.

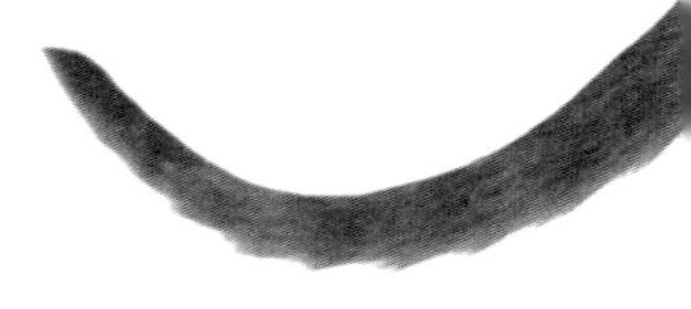

Frost oder Creme sind zarte, weiche Nuancen. Ein Nachteil vieler Tortie Points ist, daß die Körperfarben an den typischen Tortie-Orten mit der Zeit dunkel werden.

Oriental Shorthair weiß ♀ 0.09

Lynx und Tabby Points

In den Vereinigten Staaten waren die ersten Lynx Points ziemlich gewöhnliche, große Katzen, weil noch immer beeinflußt von den Tabby-Genen. Die

Züchter brauchten viele Jahre, um das schwere Knochengerüst und die runden Köpfe wegzuzüchten, so daß eine Katze entstand, die gemäß dem Standard für Siamesen beurteilt werden konnte. Viele der heutigen Lynx Points übertreffen ihre Kollegen mit einfarbigen Abzeichen an Feinheit, Langbeinigkeit und extremer Eleganz.

Balinesen

Die ersten Balinesen sollen aus siamesischen Paaren entstanden sein. Sie beruhten nicht auf Mutation, sondern auf der Paarung rezessiver Langhaar-Gene. Am wahrscheinlichsten ist, daß dieses Gen in England während der Weltkriege in den Genpool der Siamesen gelangte, als Züchter gezwungen waren, auszukreuzen, um ihre Blutlinien zu erhalten. Da die Türkische Angora einen ähnlichen Typ hat, wurde sie wohl auch eingesetzt. Zuerst konn-

Oriental Shorthair Blue ♂ 1.01

Oriental Shorthair Creme getupfter Tabby ♀ 1.03

Oriental Shorthair silbergetigert ♀ 0.05

ten die Züchter mit langhaarigen Kätzchen nichts anfangen. Sie verkauften sich nicht und wurden an Ausstellungen wegen ihres langen Fells als Siamesen disqualifiziert. Balinesen wurden schließlich akzeptiert und in den siebziger Jahren zu Championship-Wettbewerben zugelassen.

In den Vereinigten Staaten ist ein Problem der Balinesen die Verminderung der Haarlänge. Einige Standards für Balinesen bezeichnen das Fell als halblang, aber dies entspricht nicht der heutigen Wirklichkeit. Züchter mußten wieder Siamesen einsetzen, um den orientalischen Körpertyp zu bewahren, und dabei wurde das Fell immer kürzer. Der Schwanz, der früher eine hübsche Quaste bildete, ist jetzt nicht mehr sehr voll und das Haar nur noch 2,5 bis 3 cm lang.

Balinesen sind wunderschöne Katzen. Das mittellange Fell erlaubt dem Auge, den langgestreckten Konturen dieses herrlichen Geschöpfs zu folgen. Vielleicht wäre wirklich Kurzhaar am Platz – aber nicht zu kurz!

Oriental Shorthair Frost ♀ 0.09

Orientalisch Kurzhaar

Die Orientalisch Kurzhaar, die vollfarbige Version der Siamesen, ist eine stark stilisierte, von Menschen geschaffene Rasse mit siamesischem Körpertyp.

In England gab man den verschiedenen Farben, die aus Kreuzungen mit einheimischen Kurzhaar, Russisch Blau und anderen Katzen entstanden, eigene Farbnamen, und sie wurden je nach Farbe und Zeichnung als selbständige Rassen anerkannt; Kätzchen aus ein und demselben Wurf konnten als verschiedene Rassen gelten.

Einige der ersten Orientalen waren Chocolate mit grünen Augen. 1958 anerkannte der englische Governing Council of Cat Fanciers diese unter dem Namen Chestnut Brown Foreign Shorthairs. 1970 ersetzte derselbe Verein diesen Namen durch den alten: Havannas. Die Nachkommen der Havannas, die in die Vereinigten Staaten eingeführt wurden, erhielten durch Zucht einen anderen Körpertyp; es blieben nur die ursprünglichen Farben der Augen und des Fells (siehe Kapitel «Havannas»).

Ein anderer Farbschlag, den viele für die wahre Oriental halten, ist die weiße Oriental mit blauen Augen. 1977 errang diese Katze die Zulassung zu Championship-Wettbewerben unter der Bezeichnung Foreign White. Sie war das Ergebnis einer Kreuzung mit einer dominanten weißen Katze. Das maskierende Weiß-Gen verdeckt jede Farbe, die andere Gene verursachen. (Eine solche Verdeckung läßt sich auch bei der blauäugigen Siamesin selbst erkennen; dort vertreibt das Point-Gen das Pigment vorne im Auge. Die eigentliche Augenfarbe der Siamesen wäre kupfer, golden, haselnußbraun oder grün.) Da das dominante Weiß-Gen verwendet wurde, waren diese Katzen nicht taub. Obschon das dominante weiße Gen andere Farben und Zeichnungen maskiert, gab es in jedem Wurf ein paar nicht weiße Kätzchen. Diesen farbigen Orientalen gab man Farbnamen, zum Beispiel Ebenholz statt schwarz, kastanienbraun statt schokoladefarben, Lavendel statt Frost und Caramel statt Fawnbeige. Die Namen werden von einzelnen Zuchtverbänden immer noch ge-

Oriental Shorthair blaugetigert

Orientalisch Kurzhaar,
Rote Aguti Tabby, ♂ 1.03

Phänotypisch und genotypisch ist die mit Abzeichen versehene Katze eine Katze mit dunklen Körperspitzen und blauen Augen. Aber Points und blaue Augen machen den Siamesen noch nicht aus. TICA kennt viele andere Allelrassen mit Abzeichen (Devon Rex, Cornish Rex, American Curl, Japanese Bobtail, Manx, Cymric, Sphynx); diese haben aber nicht den siamesischen Körpertyp. Was immer ihre Vorfahren waren, Siamesen müssen den Typ der Siamesen aufweisen, um als Siamesen akzeptiert zu werden.

Das Argument mancher Züchter geht dahin, daß Siamesen von Oriental-Eltern stärkere, gesundere Kätzchen hervorbrächten, weil der siamesische Gen-Pool dauernd vergrößert werde, so daß die Ausmerzung unerwünschter Gene durch Rückkreuzun-

Orientalisch Kurzhaar,
Chocolate ♀ 0.09

braucht. Die besten blauäugigen weißen Orientalen sind wohl jene, bei denen Chocolate-Abzeichen maskiert sind. Sie haben tiefblaue Augen mit einer rosa Aura, die fast violett wirken.

Man streitet sich immer noch über Siamesen, die aus zwei Orientalen hervorgegangen sind, und über die Jungen von einer orientalischen und einer siamesischen Katze. Gehören sie zu den Siamesen? Kann man sie mit Siamesen zusammen ausstellen? Wie sollen sie registriert werden? Das Point-Allel ist gegenüber dem Sepia-Allel und dem Einfarbigkeits-Allel rezessiv.

Orientalisch Kurzhaar,
Braune getupfte Tabby ♀ 0.06

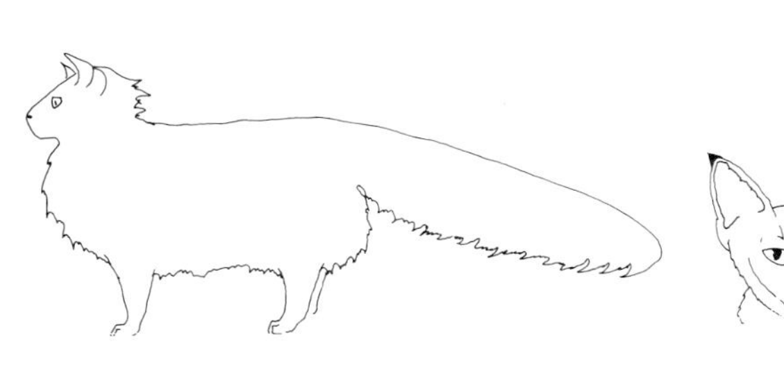

Orientalisch Langhaar: Kopf lang, keilförmig, mit geraden Linien. Ohren groß. Augen mittelgroß, mandelförmig, schrägstehend. Typ orientalisch. Fell halblang.

Orientalisch Langhaar, schwarz ♀ 0.04

gen erschwert werde. Siamesen, die Orientalen entstammen, sind wunderschön; es sollte einfach kein sichtbarer Unterschied zwischen den Jungen zweier Siamesen, einer Siamesin und einer Orientalisch Kurzhaar oder zweier Orientalisch Kurzhaar bestehen.

Orientalisch Langhaar

Diese erst vor kurzem anerkannte Rasse wurde von TICA um 1985 herum zu Championship-Wettbewerben zugelassen. Die Orientalisch Langhaar sollte ebenfalls den orientalischen Typ aufweisen, aber die Haarlänge und Zeichnungen der Balinesen und der Orientalisch Kurzhaar haben. Züchter müssen wie bei den Balinesen sehr aufpassen, um Typ und Fellänge zu bewahren.

Orientalisch Langhaar, getupfter Tabby, Chocolate ♂ 0.06

Singapura

Sie stammt aus Singapur und wird mit einer einzigen Farbe und Zeichnung anerkannt: Seal Sepia (Sable) Aguti-Tabby. Die Farbe hat nicht ihresgleichen: eine Mischung von Seal Braun und Hafermehl. Diese kräftige Katze soll die kleinste aller anerkannten Rassen sein.

Ursprung
Die Singapura stammt von Katzen ab, die auf den Straßen Singapurs aufgelesen und nach den Vereinigten Staaten gebracht wurden, um den Anfang eines sorgfältigen Zuchtprogramms zu bilden. Die ersten Singapuras gelangten 1975 in die USA. Hal und Tommy Meadows in Kalifornien spielten eine aktive Rolle bei der Arbeit mit diesen Importen.

Es ist in den USA eine seltene Rasse; man findet sie kaum an den Katzen-Ausstellungen. Es gibt in den Staaten jetzt etwa 250 Singapuras, wovon mehr als vierzig für das Zuchtprogramm benötigt werden, und 27 Züchter. Für die Kätzchen bestehen Wartelisten.

Allgemeine Beschreibung und richterliche Beurteilung
Die Singapura ist eine lebhafte, gesunde, kleine bis mittelgroße Katze mit guter Muskulatur. Die Farbe ist einzigartig; es ist dies die einzige anerkannte Rasse, die auf die Seal Sepia (Sable) Aguti Tabby-Farbe beschränkt ist. Dunkles, sealbraunes Ticking auf warmem «Alt-Elfenbein»-Grund ergibt eine zarte, beinahe funkelnde Wirkung. Schnauze, Kinn, Brust und Bauch haben die Farbe ungebleichten Musselins. Augenumrandungen, Nasenumrisse, Lippen, Schnurrhaar-Öffnungen und Haarbüschel zwischen den Zehen sind dunkelbraun. Die Fußballen sind

Singapura Sable Aguti-Tabby ♀ 1.04

Singapura: Kopf gerundet, deutlicher Break bei den Schnurrhaaren; leichter Stop zugelassen. Ohren groß. Augen groß, mandelförmig. Körper halb gedrungen. Fell Kurzhaar. Zeichnung Aguti-Tabby. Farbe Sable (Seal Sepia)

Singapura Sable Aguti-Tabby ♂/♀ 1.04

braun. Eine lachsfarbene Tönung der Ohren und des Nasenrückens wird gerne gesehen. Der Kopf erscheint zuoberst brauner, weil die Haare kürzer und weniger gebändert oder getickt sind. Der Kopf muß getickt sein, sonst erteilen die Richter keine Preise.

Das Fell ist sehr kurz, liegt dem Körper dicht an und ist von seidiger Textur. Die Aguti-Tabby-getickte Zeichnung tritt nur in ein paar Streifen innen an den Vordergliedmaßen und hinteren Knien in Erscheinung.

Die Singapura ist kleiner als die Durchschnittskatze. Der halb gedrungene Körper ist mittellang, ein wenig stämmig, fest und muskulös. Der Knochenbau ist gemäßigt, am schwersten an den Schultern. Der Schwanz neigt zur Schlankheit, sollte aber nicht extrem spitz zulaufen oder peitschenähnlich sein. Die Gliedmaßen haben starke Knochen, sind am Körper gut bemuskelt und enden in kleinen, kurzen, ovalen Füßen.

Die riesigen, fast übergroßen mandelförmigen Augen sind ein auffälliges Merkmal. Die Katze hält sie weit offen. Sie dürfen nicht näher als eine Augenlänge beieinander stehen. Die Augenfarbe ist haselnußbraun, grün oder gelb; andere Farben sind nicht zugelassen.

Das Gesicht ist verhältnismäßig klein. Der Kopf ist rund mit kastenförmiger Schnauze am runden Schädel. Im Profil sollte sich ziemlich unterhalb der Augengegend ein sehr leichter Stop zeigen. Ein deutlicher Break bei den Schnurrhaaren läßt die gutgepolsterte Schnauze zur Geltung kommen. Die großen Ohren sind unten breit, oben spitz und normal angesetzt. Der Hals ist kurz und dick, bei Weibchen manchmal länger.

Charakter

Singapuras sind ziemlich ruhig und ausgeglichen. Es sind sanfte Katzen, die ihren Besitzern treu, aber neugierig genug sind, um Fremde freundlich zu akzeptieren.

Sphynx

Der ET der Katzenwelt Die runzlige Katze, die haarlose Katze, die Bettflaschen-Katze. Ganz haarlos ist sie zwar nicht; sie trägt einen leichten Flaum wie etwa eine Pfirsichhaut.

Ursprung
Die Sphynx hieß schon Mexican Hairless oder Kanadische Hairless; in den siebziger Jahren taufte man sie Sphynx. Die Kanadische Sphynx nahm ihren Anfang, als in Kanada 1966 eine schwarzweiße Hauskatze ein haarloses Katerchen gebar. Es wurde mit seiner Mutter rückgekreuzt; sie brachte einen Wurf hervor, in dem haarlose und bepelzte Kätzchen gemischt waren. Andere haarlose Katzen wurden aus Paris gemeldet; einige sollten Nachkommen von Siamesen sein. Der Sphynx wurde von der TICA in den frühen achtziger Jahren die Teilnahme an Championship-Wettbewerben erlaubt. Kein anderer Verband in den USA anerkennt sie.

Man vermutet, das Haarlos-Gen (hr/hr) sei rezessiv. Ein Bericht, wonach aus einer Paarung von Sphynx und Devon lauter Sphynx-Kätzchen hervorgegangen seien, ist interessant. Ist es möglich, daß das Haarlos-Gen dem Devon-Rex-Gen gegenüber dominant ist? Oder führt die Devon das Haarlos-Gen als Rezessive? Möglich ist auch eine unvollständige Dominanz, die Sphynx-Devon-Mischlinge mit Stoppelhaar auf dem Körper und Pelz auf den Körperspitzen zur Folge hat.

Allgemeine Beschreibung und richterliche Beurteilung
Manche Leute fühlen sich von dieser Katze abgestoßen und halten sie für die häßlichste, die sie je sahen; andere sind bezaubert. Das Tier ist so häßlich, daß es schön ist. Eine Sphynx fühlt sich an wie eine Bettflasche. Ihre Temperatur scheint mindestens vier Grad höher als diejenige anderer Katzen. In Wirklichkeit besteht kein Unterschied.

Die Sphynx ist nicht eine haarlose Katze; sie ist mit einem ganz kurzen Flaum bedeckt, der dem Auge kaum sichtbar und für das Tastgefühl nicht festzustellen ist. Manchmal hat sie kurzes, dichtes, weiches Haar auf den Körperspitzen und eine kleine Quaste auf der Schwanzspitze. Die Hoden sind immer behaart. Manchmal sind Schnurrhaare und Augenbrauen vorhanden, aber oft sind sie abgebrochen oder waren niemals vorhanden. Die Haut ist runzlig und sollte die Textur von Wildleder haben. Anfangs hoffte man, die Sphynx sei die Lösung für Leute, die auf Katzen allergisch reagieren. Das bewahrheitete sich nicht, denn auch Hautschuppen erregen Allergien. Wenn die Sphynx schwitzt, können sich in ihren Runzeln normale Follikelsekretionen ansammeln; deshalb muß man sie oft baden oder mit einem feuchten Tuch sauberwischen.

Sphynx Brown Classic Tabby mit Weiß ♂ 3.06

Die Sphynx ist hart und muskulös. Der mittellange Körper sollte fein- oder mittelknochig sein, die Brust kurz und zylindrisch. Die Vorderansicht einer Sphynx erinnert an einen Boston Terrier. Sie sollte gut genährt, aber nicht fett aussehen; das ist keine zarte Katze. Der Schwanz ist lang, peitschenähnlich und verjüngt sich ununterbrochen vom Körper bis zur Spitze (Rattenschwanz). Die Beine sind lang und schlank, zum Körper passend, aber nicht feinknochig; sie sind fest und fühlen sich muskulös an. Die Hinterhand ist etwas länger als die Vorderhand. Die Pfoten sind oval und zierlich mit langen, schlanken Zehen.

Der Kopf ist etwas länger als breit, mit vorstehenden Backenknochen und einem deutlichen Break bei den Schnurrhaaren. Das Profil hat einen deutlichen Stop am Nasenrücken. Die sehr großen Ohren sind an der Basis breit und werden aufrecht getragen. Die großen, runden, zitronenförmigen Augen weisen schräg auf den Ohrenansatz und sind etwas mehr als eine Augenlänge voneinander entfernt. Die Schnauze ist kurz. Der Hals ist lang und schlank, was den Kopf elegant erscheinen läßt.

Sphynx Blue Classic Torbie ♀ 0.06

Sphynx: Kopf modifizierter Keil, deutlicher Stop, vorstehende Backenknochen. Ohren groß, aufrecht getragen. Augen groß, zitronenförmig. Körper halbfremdartig, voller Unterbauch. Fell: kurz, feine Daunen.

Charakter

Die Sphynx ist unter anderem unendlich geduldig und findet sich mit fast allem ab. Sie scheint mit der Welt in großem Frieden zu leben, ihre Umgebung willig anzunehmen. Deshalb ist sie ein ergebenes Heimtier und eine ausgezeichnete Katze für Ausstellungen. Man muß sie bewundern. Sogar sitzend tragen sie den Kopf hoch und wirken vornehm. Die französischen Standards beschreiben sie als «teils Äffchen, teils Hund, teils Kind und teils Katze».

Sphynx Cream ♂ 1.06

Tonkinesen

Tonkinesen sind eine Mischung zwischen Siamesen und Burmesen. Mit ihren wasserblauen Augen und dunklen Abzeichen gehören sie zu den Schönheiten der Katzenwelt.

Ursprung

In den frühen dreißiger Jahren brachte ein Amerikaner eine in Burma erworbene Katze namens Wong Mau nach Hause. Man nimmt an, diese Katze sei eine Tonkinesin, keine Burma gewesen. Tonkinesen wurden erst 1960 in Kanada registriert, und Championship-Konkurrenzen nahmen sie auch erstmals in Kanada an. Die ersten Tonkinesen nannte man manchmal Goldene Siamesen, weil sie siamesische Körperspitzen, aber die Goldbronze-Sepia-Färbung der Burmakatzen hatten.

Die Tonkinesen gehören zum genetischen System der Albino-Serie. Die Rasse muß ein Point-Gen und eines für Sepia-Farbe mit sich führen. Paart man zwei Tonkinesen, so kann man ein Kätzchen mit Abzeichen, eines mit Burmafärbung und zwei Tonkinesen erwarten. Dieses Allel erlaubt die dunkleren Körperspitzen, die etwas hellere Körperfarbe und eine Verminderung der Pigmentierung im Auge, die deshalb blau-grün erscheinen.

Allgemeine Beschreibung und richterliche Beurteilung

Die Tonkinesin ist in der Katzenwelt einzigartig; in Typ und Farbe steht sie zwischen Siamesin und Burma. Die Katze ist von mäßiger Größe und mäßigem Typ; sie bringt den alten Zwischentyp ihrer beiden Vorfahren wieder zum Leben und ähnelt den ersten Siamesen mit rundem Kopf und etwas schwererem Körper.

Der halbfremdartige Körper, zwischen dem langen, schlanken Körper der Siamesen und der kompakteren Burma, ergibt eine starke, muskulöse Katze mit einem für ihre Größe erstaunlichen Gewicht. Die Brust rundet sich vorne sanft und ist an den Seiten flach. Das Knochengerüst ist maßvoll, weder schwer noch zart, mit gut entwickelten Muskeln. Es sollte kein Anschein von

Tonkinese Frost Mink ♂ 0.10

Tonkinese Chocolate Mink

Schlaffheit oder Fettleibigkeit vorhanden sein; der Unterleib soll straff aussehen. Der Schwanz ist mittellang. Die mittellangen Beine sollten maßvoll schlank sein, die Hintergliedmaßen etwas höher als die vorderen. Die Füße sind oval geformt.

Der Kopf ist ein modifizierter Keil mit runden Konturen; von mittlerer Größe und mit einem leichten Stop auf Augenhöhe oder knapp darunter. Die Schnauze ist stumpf, mit deutlichem Schnauzen-Break. Kopf und Ohren bilden ein gleichseitiges Dreieck. Die hohen Backenknochen zeigen sanfte Flächen. Die mittelgroßen Ohren sind nach vorne gerichtet; sie sind nicht orientalisch schräg gestellt, sondern weisen auf den unteren Teil des Ohrs.

Tonkinese: Kopf modifizierter Keil, runde Umrisse, leichter Stop, deutlicher Schnauzenbreak. Ohren mittelgroß, Augen mittelgroß, pfirsichkernförmig. Körper halbfremdartig. Fell Kurzhaar. Zeichnung Sepia mit Mink-Abzeichen. Farben: durchgehend Eumelanin.

Der Hals ist mittelschlank, kann aber bei erwachsenen Männchen äußerst muskulös sein.

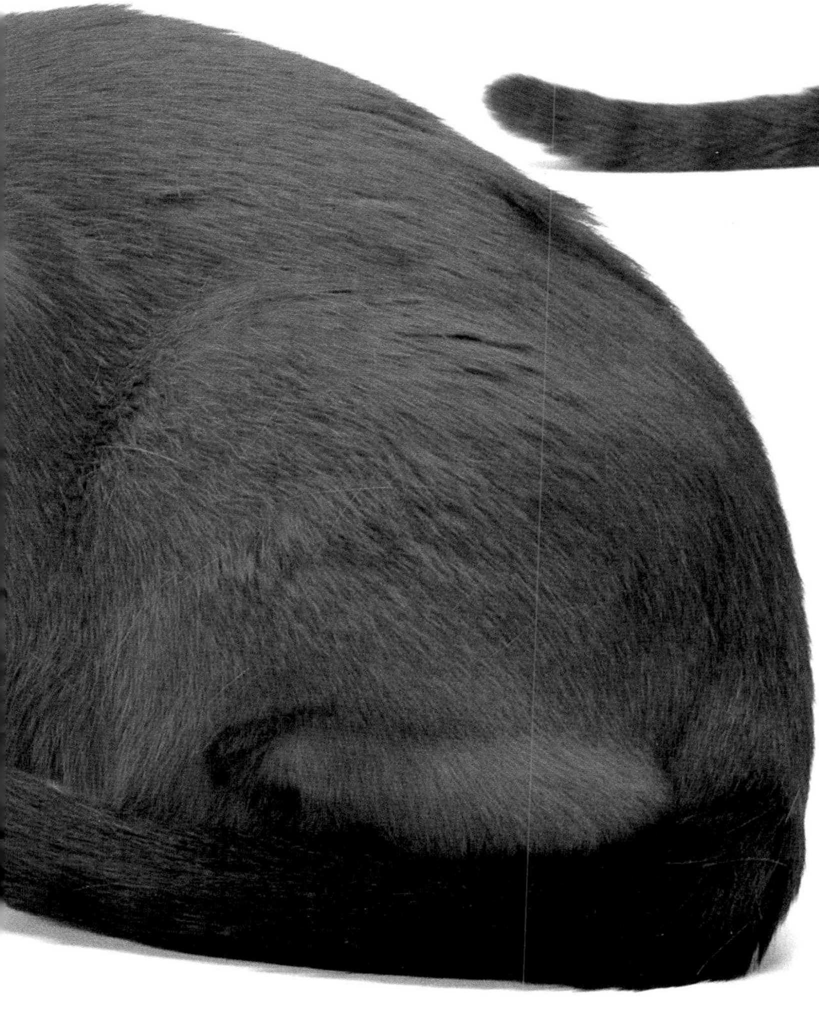

Das mittelkurze Fell ist weich, fein und seidig und liegt eng an; es hat einen leuchtenden Glanz und verlangt wenig Pflege. Tonkinesen werden gegenwärtig nur in den eumelanistischen Farben anerkannt: Natural Mink, Chocolate Mink, Blue Mink, Fawn-Beige, Mink und Frost Mink. In manchen Verbänden wird für die Zulassung zu Championship-Wettbewerben auch die Sepia- und die Points-Farbe zugelassen, wenn sie eumelanistisch ist.

Charakter

Die Tonkinesen sind gesunde, schöne, bezaubernde Heimtiere und Ausstellungskatzen. Sie sind recht aktiv und rennen und springen gerne; sie genießen es, sich zu bewegen. Sie sind gesellig, kontaktfreudig und liebevoll. Die wasserblauen Augen, der zweifach getönte Körper mit seinen weich fließenden Konturen, die Verbindung der Burmesen- und der Siamesen-Färbung, Knochenbeschaffenheit und Persönlichkeit machen die Tonkinesin zu einer sehr schönen und reizenden Katze.

Tonkinese Natural Mink ♂ 0.09

Türkisch Angora

Dies ist eine alte Rasse, die aus Angora (Ankara) in der Türkei stammt. Sie ist sehr selten geworden. Wenn man diese schöne, langhaarige Katze mit zwei Worten beschreiben wollte, wären das «fließende Eleganz».

Türkisch Angora: Kopf modifizierter Keil, Ohren groß, hoch angesetzt. Augen groß, mandelförmig. Körpertyp fremdartig. Fell halblang.

Ursprung

Weiße türkische Angora wurden vor langer Zeit aus der Türkei nach Frankreich gebracht. Man kreuzte sie mit kräftigen, langhaarigen Katzen aus Persien und Rußland. Diese Kätzchen zeigten wenig Ähnlichkeit mit den heutigen, langen und schlanken Angora. Sie wurden von den Persern überflügelt, so daß nur wenige davon gezüchtet wurden.

In den fünfziger und sechziger Jahren wurden die Angoras aus der Türkei direkt in die Vereinigten Staaten gebracht und nach 1970 zu den Championship-Wettbewerben zugelassen. In England kannte man sie nicht als Angora bis 1970, als die Züchter damit begannen, die lange, schlanke Gestalt der ursprünglichen Angora wieder herzustellen.

Türkisch Angora Blue ♀ 2.06

Allgemeine Beschreibung und richterliche Beurteilung

Die türkische Angora ist eine mittelgroße bis kleine Katze; ihr Körper zeigt den fremdartigen Typ: er ist lang, schlank und geschmeidig auf langen, schlanken Gliedmaßen und vermittelt den Eindruck graziöser, fließender Bewegung. Die Hinterbeine sind länger und der Schwanz in seiner ganzen Länge buschig. Das Fell ist halblang mit feiner, seidener Textur und wenig Unterwolle.

Der mittelgroße Kopf ist ein modifizierter Keil mit einem flachen, langen, mittelbreiten Schädel. Die mittellange Nase darf leicht gekrümmt sein. Die großen, mandelförmigen Augen weisen schräg auf den Ohrenansatz. Die großen Ohren sind hoch auf dem Kopf angesetzt. Der mittellange Hals ist schlank und graziös.

Charakter

Die türkischen Angoras sind elegant, wahrhaft die Aristokraten der Halblanghaar-Rassen. Sie sind königlich, graziös und schön. Gewöhnlich sind es sanfte Katzen, mit denen sich gut zusammenleben läßt. Sie geben abwechslungsreiche, liebevolle, spielfreudige Heimtiere ab.

Türkisch Angora blauäugig, weiß ♀ 0.11

Türkisch Van

Eine sehr alte, seltene Rasse. Die Van ist berühmt für ihre Zeichnung und ihre Vorliebe für Wasser. Man nennt sie auch «die schwimmende Katze».

Ursprung
1955 bemerkten zwei Katzenliebhaber in der Nähe des Vansees eine Katze, die der Türkisch Angora glich, aber nicht völlig weiß war; sie trug tiefrote Markierungen auf Gesicht und Schwanz. Diese Katzen schwammen sehr gerne. Die Katzenfreunde erwarben ein Paar und brachten es zurück nach England. Die Jungen dieses Paares sind die Vorfahren der heutigen Türkisch Van. 1982 importierten Barbara und Jack Reark Vans aus Frankreich und den Niederlanden nach den Vereinigten Staaten. Sie züchteten sie zu liebevollen Heimtieren heran. Heute sind fast alle Vans sanft und zärtlich, nicht wie die ersten Vans, die für ihre Abneigung gegen das Ausgestelltwerden, der sie gegenüber Besitzern, Ausstellern und Richtern mit Krallen und Zähnen Ausdruck gaben, berüchtigt waren.

Allgemeine Beschreibung und richterliche Beurteilung
Die Türkisch Van ist eine kräftige, halblanghaarige Katze mit einzigartiger Markierung. Das Unterfell ist weiß mit weißer Blesse zwischen den Kopfmarkierungen und weißen Ohren. Der Körper sollte weiß ohne jede Farbe sein. Farbe beschränkt sich auf die Gegend um die Ohren und auf den voll farbigen Schwanz.

Der kurze Kopf bildet einen breiten Keil; zwischen den Augen befindet sich ein schwacher Stop. Die Ohren sind groß und werden aufrecht getragen; sie sind ziemlich weit voneinander angesetzt. Verschiedene Standards schreiben mandelförmige oder fast runde Augen vor.

Der lange Körper ist kräftig, breit und muskulös, mit breiten Schultern. Die mittellangen Beine sind kräftig mit runden, mittelgroßen Füßen; die Hinterbeine sind höher als die Vorderbeine. Der mittellange Schwanz ist buschig.

Charakter
Diese Katze ist unglaublich stark, beweglich, intelligent und schön; sie ist mit ungewöhnlicher Liebe für Wasser bedacht. Der Schwanz kann in dauernder Bewegung sein und zeigt die augenblickliche Laune an. Vans sind ergebene Gefährten, wenn man ihre Liebe einmal gewonnen hat.

Türkisch Van: Kopf breiter, modifizierter Keil, runde Umrisse. Ohren mittelgroß, Augen groß, oval. Körper lang, kräftig. Fell halblang. Zeichnung Van. Berühmt für rote oder cremefarbene Tabbies mit Weiß.

Türkisch Van Roter Tabby mit Weiß ♂ 0.07

Neue Rassen (Bengalen, Snov

Neue Rassen bringen immer viel Aufregung, denn ihre Komitees müssen etwas Einzigartiges vorweisen. Es muß bewiesen werden, daß der Körpertyp von demjenigen anderer Rassen abweicht; Farbe und Zeichnung machen noch keine neue Rasse aus.

Bengalen

Die Bengale ist das Ergebnis einer Kreuzung zwischen hiesigen Tabbies und der asiatischen Leopardenkatze. Die erste absichtlich durchgeführte Kreuzung soll 1963 durch Jean Mill vorgenommen worden sein, aber ihr Zuchtprogramm wurde eingestellt und erst 1981 wieder aufgenommen, als Dr. Willard Centerwall und Mrs. Mills Partner wurden. Die Bengale erschien ab 1985 an den Katzenausstellungen.

Die asiatische Leopardkatze (jetzt auf der Liste bedrohter Arten) sieht aus wie ein kleiner Ozelot mit länglichen, großen Flecken und Streifen. Sie wiegt 4 bis 5 Kilo, ist wild und kann nicht gezähmt werden. Hin und wieder akzeptiert ein Männchen eine Hauskatze und befruchtet sie. Das Ergebnis dieser Kreuzungen ist die Bengale.

Züchter strengen sich an, um die Erscheinung der ersten Bengalen-Generation zu erzielen, die derjenigen der Leopard-Katze gleicht. Der vorläufige Standard sieht einzigartige Merkmale vor: kleine runde Ohren auf mäßig großem Kopf; breite Nase, bauschige, breite Schnurrhaarkissen; große ovale Augen. Die Nase ist kurz mit hervorstehendem Nasenrücken und einer sanft geschwungenen, konvexen Kurve vom Nasenrücken bis zur Nasenspitze. Die Katze hat einen langen, muskulösen, kräftigen Körper. Die Bengalen sollen ihr wildes Aussehen und das Fell, dessen Farbe und Zeichnung in der Welt der Rassekatzen einzigartig sind, beibehalten. Die Flecken sind groß und horizontal angeordnet, sie

Bengal-Leopard ♀ 0.08

folgen weder dem Muster der getigerten noch der Classic Tabby; manche haben den Anfang von Rosetten. Die Farbe ist bemerkenswert, denn die Eumelaninflecken befinden sich auf oranger Grundfarbe, die fuchsrot oder fast rot wirkt; die Schwanzspitze ist schwarz.

Der Charakter ist bei dieser Rasse äußerst wichtig; die Katzen müssen sanft sein, nicht drohen und müssen sich berühren lassen. Sobald sie nur im mindesten aggressiv werden, sind sie von Wettbewerben disqualifiziert.

Snowshoe

Die Snowshoe ist eine vom Menschen geschaffene Rasse aus einer Kreuzung von Siamesin mit zweifarbiger Amerikanisch Kurzhaar.

Die Particolor Snowshoe mit Abzeichen ist eine mittelgroße bis große, kurzhaarige, dem halbfremden Typ zugehörige Katze, die die kräftige Struktur der Amerikanischen Kurzhaar mit der Länge ihrer siamesischen Vorfahren verbindet. Sie ist sehr gut bemuskelt und vermittelt einen Eindruck von großer Kraft und Behendigkeit, sieht aber doch eher wie ein Läufer als wie ein Gewichtheber aus. Sie ist sehr ausgeglichen und hat ein angenehmes, menschenfreundliches Wesen. Das Durchschnittsgewicht ist 3,5 bis 6,5 Kilo bei Männchen und 2,5 bis 4 Kilo für Weibchen.

Snowshoe Seal Point-Color Point ♂ 0.08

Die einzigartige Verbindung zwischen dem Point-Gen und dem Weißfleck-Gen und der mäßig lange Körper unterscheidet die Snowshoe von anderen Rassen. Wenn die weiße Zeichnung symmetrisch zu den dunkleren Flächen steht, ergibt sich eine prächtige Wirkung.

Der Kopf ist ein modifizierter Keil mit einem Profil aus zwei Ebenen, das in ein gleichseitiges Dreieck passen sollte. Die Distanz von der Ohrenspitze bis zur Nase ist gleich groß wie die Distanz von Ohrenspitze zu Ohrenspitze. Die Ohren sind groß, spitz, unten breit und verlängern den vom Kopf gebildeten Keil. Die Augen sind groß, mandel- oder walnußförmig; zwischen ihnen soll mindestens eine Augenlänge liegen. Die äußeren Winkel weisen auf den Ohrenansatz. Die Nase ist von Rücken bis Spitze gerade; im Rücken darf sich eine schwache Senkung befinden. Die Backenknochen sind hoch, aber die Schnurrhaarkissen flach. Der Hals verjüngt sich ein wenig vom Kopf bis zum Rumpf.

Der Körper ist rechteckig, aber nicht sehr extrem, gut bemuskelt und mit gutem Knochengerüst, der Körperbau kräftig und schwer. Die Katze sollte sich schwerer anfühlen, als sie aussieht. Die Weibchen sind nicht zerbrechlich oder zierlich. Der Körper sollte flach sein, die Schultern nicht vorstehen. Die langen Beine sind muskulös und fest, die Hinterbeine gerade. Die mittelgroßen Füße sind oval. Der Schwanz ist dicker am Ansatz und verjüngt sich gleichmäßig zur Spitze. Seine Länge entspricht derjenigen von Schwanzansatz zu Schultern.

Die Snowshoes sind sehr sanfte, liebevolle Katzen.

Mischlinge

Die wundervollen Mischlinge, die privat gehalten werden, gibt es in allen Farben und Zeichnungen, wie sie Mutter Natur einfallen.

Katzen dieser Kategorie wurden lange Zeit zu Wettbewerben nicht zugelassen. In den ersten Katzenausstellungen nannte man sie Gassenkatzen, und die Besitzer reinrassiger Katzen belächelten sie und ihre Besitzer. Die Besitzer mußten sehr lange um Anerkennung kämpfen. In manchen Verbänden haben sie diese immer noch nicht.

Bei TICA wird den Heimkatzen getrennte, aber gleichwertige Behandlung zuteil; sie werden an der Heimkatzenschau gezeigt. Solche Konkurrenzen können Teil einer Rassekatzenschau sein, mit auf Heimkatzen spezia-

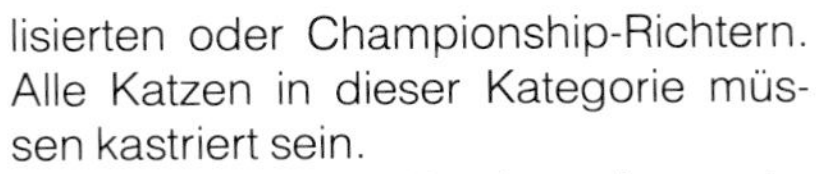

lisierten oder Championship-Richtern. Alle Katzen in dieser Kategorie müssen kastriert sein.

Ein Heimkatzen-Katalog gibt gewisse Richtlinien, aber schließlich liegt die Schönheit im Auge des Betrachters. Heimkatzen zu beurteilen ist eine Freude und eine anregende Aufgabe. Die Natur hat oft Farben und Zeichnungen kombiniert, die man in Rassekatzen niemals sieht. Viele sind Findelkatzen, einige stammen aus Katzenheimen und andere waren heimatlos, wanderten in ein Heim und eroberten sich die Herzen ihrer neuen Besitzer.

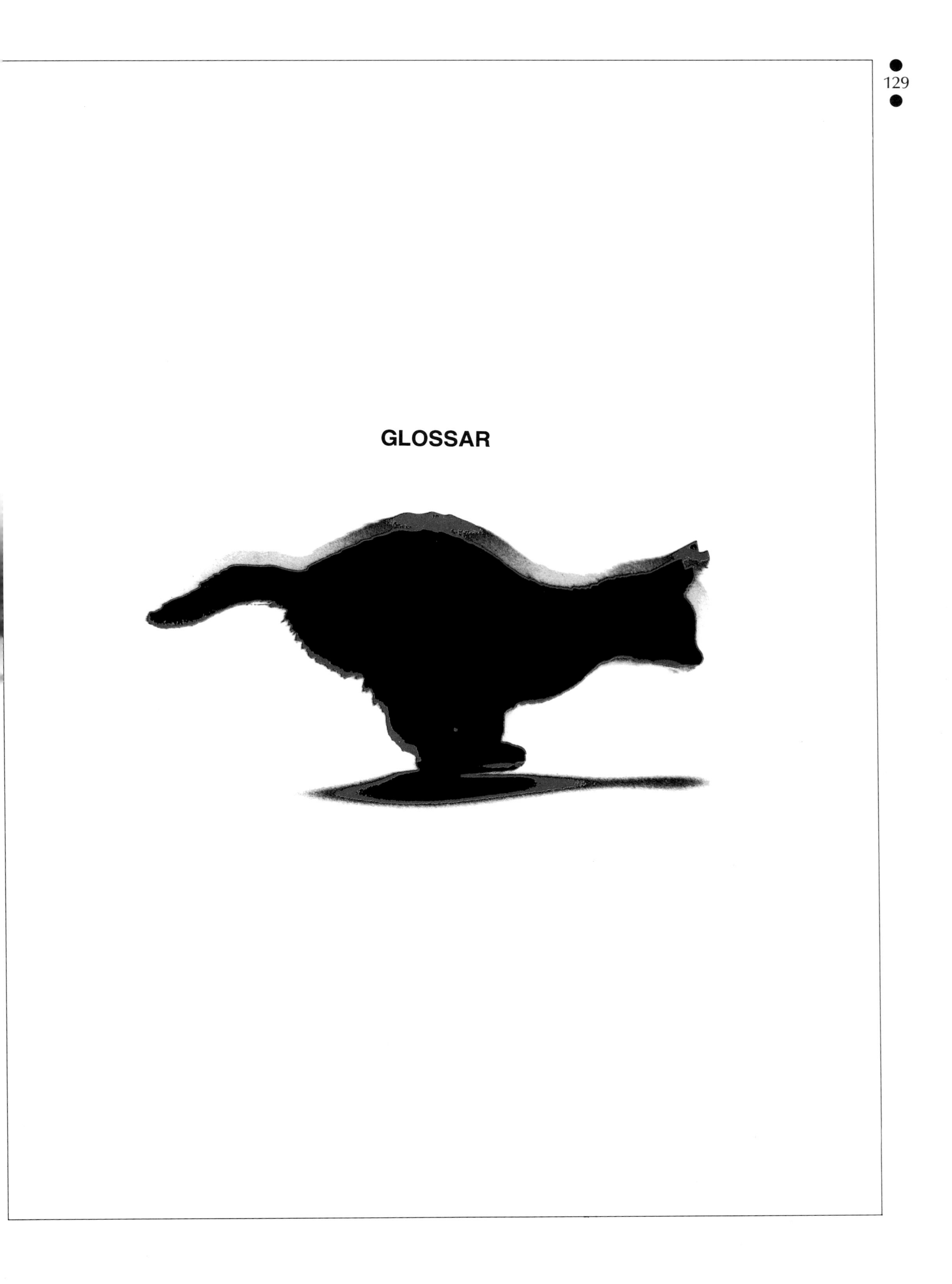

GLOSSAR

Aby-Tabby oder Aguti-Tabby
Die wenigst ausgeprägte Form der Tabby-Zeichnung: Aguti-Gen plus Aguti-Gen. Beine und Gesicht weisen oft die Tabby-Zeichnung auf («M» auf der Stirn, Kopfstreifen, Halsbandstreifen). Die Schwanzspitze sollte dunkler sein als das übrige Fell. Streifen oder Ringe sind als Fehler zu betrachten, obschon für bestimmte Rassen dünne Linien auf Gesicht, Beinen oder Schwanz zugelassen sind. (T^a/-)

Abzeichenfarbe
Dunklere Farbe, die sich auf die äußersten Spitzen der Katze beschränkt: Maske, Ohren, Schwanz und Pfoten.

Aguti
Getipptes oder geticktes Fell; Aguti-Haare finden sich oft rund um Tabby-Markierungen, die sich dadurch von ihnen abheben. (A/-)

Allel
Eines von mindestens zwei einander entsprechenden Genen von gleicher Plazierung in homologen Chromosomen (C/-, c^b/c^b)

Bicolor-Zeichnung
Die Katze ist an Rücken, Schwanz und Kopf gefärbt, hat aber weiße Beine, Pfoten, Bauch und untere Seiten. Oft trägt sie eine weiße Blesse von der Form eines umgekehrten «V». Es gibt verschiedene Mischungen zwischen Weiß und Farbe, aber meist ist die Katze zu einem bis zwei Dritteln weiß. (S/s)

Blau
Vorgezogen werden gleichmäßig blaugraue, eher helle Töne. Pfotenballen und Nasenspiegel sind schieferblau. Einzelne Zuchtstandards lassen auch andere Nuancen von Blau zu: Korat, Russisch Blau, Kartäuser. (B/-, d/d)

Blesse
Stirnfleck

Break
Einbuchtung

Caliby
Torby-Zeichnung mit Weiß, oder Tabby gefleckt mit Weiß. (A/-, X^B/X^R, S/s)

Calico
Schildpatt mit Weiß (X^B/X^R, S/s)

Cameo
wird bei roten oder cremefarbigen Katzen mit Tortie-Zeichnung verwendet. Eine Shell Cameo hat schattiertes Rot, eine Smoke Cameo ist eine rote Smoke, eine Smoke Cameo Tortie ist eine Smoke Tortie.

Champagne
bezeichnet eine Sepia oder Mink-Chocolatefarbe.

Chinchilla
Das minimste Tipping – nur die äußersten Haarspitzen sind gefärbt, der Rest ist silberweiß.

Chinchilla oder Shaded Golden
Chinchilla Golden bezeichnet eine goldene oder vorzugsweise aprikosenfarbene Grundfarbe, mit leichtem bronzefarbenem oder schwarzem Tipping auf Rücken, Schwanz und Beinen. Das Kinn ist cremefarben. Der Bauch kann heller sein als der Rücken. Augen, Lippen und Nase sollten schwarz umrandet sein, und die Nasenmitte ist ziegelrot. Pfotenballen sind schiefergrau bis schwarz. Schwanzspitze sollte bronzefarben oder schwarz sein, als wäre sie in Tinte getaucht. Die Gesamtwirkung ist eine heller goldene Färbung als bei Shaded Golden. Shaded Golden hat mehr Farbe an den Haarspitzen.

Chocolate
Satte Färbung von mittlerem bis dunklem Schokoladebraun, Kastanienbraun oder Milchschokoladebraun. (b/b)

Chromosomen
Die fadenförmigen Gebilde im Zellkern, die das Erbgut eines Lebewesens tragen. Sie bestehen aus aneinandergereihten Genen. Jede Art hat ihre eigene Anzahl von Chromosomen.

Cobby (gedrungen)
Ein kurzer, kompakter Körper mit breiten Schultern und ebensolchem Hinterteil. Gewöhnlich mit kurzem Schwanz und großem, rundem Kopf wie bei Persern, Colourpoints, Exotisch Kurzhaar oder Britisch Kurzhaar.

Cremefarbe
Lederfarbe, je heller, desto besser. (d/d, X^R/X^R)

Curl
Die Ohren sind nach hinten, vom Gesicht weggebogen. Das Merkmal der American Curl.

Deckhaar
Längere, borstige Haare, die das äußere Fell bilden.

Dominant
wird ein Gen eines Paars von Allelen genannt, das sich in Heterozygoten vollständig durchsetzen kann. Auch die Merkmale, die auf ein dominantes

Gen zurückgehen, bezeichnet man als dominant. (A/a)

Dominantes Weiß
Weiß ist die Abwesenheit von Farbe und geht auf das dominante weiße Gen zurück. (W/-)

Dominanz
Die Fähigkeit eines Gens in einem Paar allelischer Gene, sich ganz oder teilweise gegenüber dem anderen Gen durchzusetzen. (A/a)

Doppeltes Fell
Dicke, längere Deckhaare über dikkem Unterhaar. Die Grannenhaare sind gleich lang wie die Deckhaare. Die Russisch Blau hat ein doppeltes Fell.

Eumelanin
Die auf Schwarz oder Braun beruhenden Melaninkörnchen, die die Pigmentierung, das Haar, die Haut, die Augenfarben bestimmen, können dichter oder lockerer vorhanden sein. Eine von zwei Arten der Melaninsynthese; die andere ist Phäomelanin. (B/-, b/b, b^l/b^l)

Faltohren
Die Ohren sind zum Gesicht hinuntergefaltet als Folge eines dominanten Gens, das die Knorpel beeinflußt. Das Kennzeichen der Scottish Fold. (Fd/-)

Farbabzeichen
Beruht auf der Wirkung des Abzeichen-Gens auf einfarbige und eumelanistische und phäomelanistische Farben. Die Farbe beschränkt sich auf die Körperspitzen. Der Körper ist deutlich heller als die Spitzen. Zu den Varianten gehören Seal Point, Chocolate Point, Zimt Point, Frost Point, Fawn-beige Point, Red Point und Cream Point. (a/a), c^s/c^s)

Fawn-beige
«Milchkaffee»-Farbe; warme, rosa angehauchte Lederfarbe. (b^l/b^l, d/d)

Fell
Es gibt drei Haupt-Haartypen im normalen Fell: Deckhaare, Grannenhaare und Unterwolle.

Flankentiefe
wird bestimmt durch Betrachtung der Flanke von oben bis unten; die Gegend zwischen Brustkasten und Schenkel. Manx und Cymric haben eine große Flankentiefe; Cornish Rex haben keine.

Flecken
Klar umrissene Farbflecken im Fell, wie bei Torties, Calicos und Harlekins.

Fremdartiger Typ
hat langen Körper und Beine, die ihm entsprechen; schlanke, feine Knochen; langen, spitz zulaufenden Schwanz, keilförmigen oder keilähnlichen Kopf mit großen Ohren und ovale oder mandelförmige Augen. Zum Beispiel Abessinier oder Russisch Blau.

Fuchsrot
kann ein Polygen sein oder auf einer Gruppe von Polygenen beruhen. Der Fuchsrotfaktor verändert das fadgelbe Band des wilden Tabbys zu einem leuchtenden Aprikosenrot und trübes Orange zu leuchtendem, reichem Rot. Der fuchsrote Abessinier ist ein schwarzer Aguti-Tabby mit Fuchsrot-Faktor.

Frost
Frostgrau, Reifgrau mit rosa Schimmer; Taubengrau bis zu hellem Maulwurfsgrau; rosa Lavendel. (b/b, d/d)

Geisterzeichnung
Schwache Tabbyzeichnung, die man bei manchen einfarbigen Katzen sehen kann, besonders bei jungen. Solche Zeichnungen sind bei Kätzchen zugelassen und, je nach Clubstandard, auch bei jungen Katzen.

Gen
Träger von Erbgut, bestimmter Teil eines DNS-Moleküls, im Chromosom befindlich. Gene bestimmen als Erbgutträger u. a. Wachstum, Entwicklung und Funktion von Organismen.

Genpool
Die totale Masse der Gene in der Bevölkerung einer Art.

Genotyp
Die Gesamtheit der Erbfaktoren eines Lebewesens.

Gescheckt
Wirkung, die sich ergibt, wenn «falschfarbene» Haare im Fell verteilt sind.

Getickt
Drei oder vier getrennte Farbbänder auf jedem Haar, wie bei Abessiniern.

Getickter Tabby
Das Körperhaar ist mit verschiedenen Schattierungen der Zeichnungsfarbe und der Grundfarbe getickt. Das äußerste Farbband ist das dunkelste und die Unterwolle zeigt die Grundfarbe. Der Körper verrät vielleicht eine kaum wahrnehmbare zarte Zeichnung und sieht wie feingemusterter Tweed aus.

Aber deutliche Streifen und Flecken gelten als Fehler. Auf Schwanz, Beinen und Gesicht sind Tabbymuster angedeutet; auch Spuren der Halsbänder finden sich bei einem schön gezeichneten Exemplar. (T^a/-)

(Getigerter) Tabby
Die Streifen sollen wie Fischgräten verlaufen, ohne Bullaugen oder Flecken. Die Flanken des getigerten Tabby («Herings-Tabby») sollten gleichmäßig mit senkrechten, durchgehenden Streifen von hervorstechender Farbe gezeichnet sein wie ein Fischgerippe (daher der Name «Mackerel»). Es gibt drei verschiedene Wirbelsäulen-Linien, aber sie sind sehr schmal und sehen oft wie ein einziges breites Band aus. Der Kopf ist mit Streifen besetzt, die zwischen den Ohren ansetzen und dem Hinterhals entlang verlaufen, bis sie sich mit den Wirbelsäulen-Linien vereinen. Die Beine sollten gleichmäßig beringt sein, ebenso der Vorderhals. Die Bauchseite sollte Reihen kleiner runder Flecken aufweisen. (A/-, T/-)

Getupfter Tabby
Die Katze ist durch markante Tupfen, vor allem an den Flanken, gezeichnet. Die Tupfen variieren in Größe und Form; am liebsten sieht man runde, gleichmäßig verteilte Tupfen. Ein Rükkenstreifen verläuft über den gesamten Körper bis zur Schwanzspitze. Ideal ist es, wenn der Streifen aus Tupfen zusammengesetzt ist. Gesicht und Stirn sollten die typische Tabby-Zeichnung aufweisen; am Bauch sollten sich dunkle Flecken befinden. Beine und Schwanz sind quergestreift. Die Zeichnung wird durch ein besonderes Gen oder durch Modifikatoren oder durch unvollständige Dominanz der Tabby-Allelen verursacht.

Grannenhaare
Die rauhere der zwei Arten von Sekundärhaaren, mit verdickten «Bürsten»-Spitzen.

Grundfarbe
Die Farbe am untersten Teil des Haarschafts, auch die agutifarbenen Stellen zwischen Tabby-Markierungen.

Haarlosigkeit
Sie ist bei der Sphynx-Rasse nicht total; die Abzeichen tragen Haare, und der Körper ist mit leichtem Flaum bedeckt. (hr/hr)

Halbcobby
eine Variante des Cobby-Körpertyps; nicht so kurz wie Manx und nicht so lang wie Siamkatzen. Beispiel: British Shorthair und American Shorthair.

Halbfremdartig
Eine Variante des fremdartigen Körpertyps, mit langen Linien, mittelstarkem Gerüst, modifiziertem, keilförmigem Kopf. Beispiele: Havanna und Ägyptische Mau.

Halsband
Tabby-Zeichnung am Hals.

Handschuhe
Weißpfoten-Zeichnung. Eine hauptsächlich farbige Katze, deren Pfoten, Hinterbeine, Bauch, Brust und Kinn weiß sind. Die Katze ist etwa zu einem Viertel weiß. (S/s)

Harlekin
Eine der extremsten Auswirkungen des Weißfleck-Gens. Farbe gibt es nur an den Beinen. Mehrere kleine Farbflecken sind zugelassen. (S/S)

Hauskatzentyp
mit schwererem Knochengerüst, im Gegensatz zum «fremdartigen» Typ der feingliedrigen Siamesen.

Heterozygot
Mischerbig. Allelische Paare haben von jedem Elternteil verschiedene Gene bekommen. (A/a)

Inhibitorgen
Man hält dieses Gen für verantwortlich bei Farbhemmungen und deshalb für Tipping und Silver. (1/-)

Inzucht
Zucht mit eng verwandten Katzen, Elternteil mit Jungem oder Bruder mit Schwester. Wird manchmal absichtlich vorgenommen, um ein einzigartiges Merkmal zu bewahren. Inzucht muß mit großer Vorsicht und Kenntnis der Genetik betrieben werden.

Kashmir
Ein Chocolate oder Frost Perser.

Katzenverbände
d. s. Leute, die sich für Hauskatzen allgemein oder als Züchter und Aussteller interessieren. Fast jedes Land hat eine Organisation zur Erfassung der Katzenzucht; sie verzeichnet Katzen und Würfe, sammelt Zuchtbuch-Informationen, stellt Richter für Ausstellungen, erteilt Ausstellungslizenzen und legt Clubsatzungen fest. In einigen Ländern werden diese Funktionen von verschiedenen Clubs wahrgenommen.

Keil
bezieht sich auf die Kopfform von vorne oben betrachtet: Ergibt sich aus geraden Linien von der äußeren Ohrwurzel bis zu den Seiten der Schnauze; die Kieferlinie wird bei den Schnurrhaaren nicht unterbrochen. Der Schädel soll flach sein und die gerade Nase die Stirnneigung fortsetzen.

Klassischer Tabby
Eine Tabby-Zeichnung hauptsächlich aus Flecken und Wirbeln, in einem «Bullauge» auf jeder Seite des Körpers gipfelnd. Gewünscht ist ein scharfer Kontrast zwischen der blassen Grundfarbe und der ausgeprägten, schweren Zeichnung. Der Kopf ist mit Längsstreifen markiert, die zwischen den Ohren beginnen und am hinteren Hals verlaufen, bis sie in den «Schmetterling» auf den Schultern einmünden. Dieser trennt die Kopfstreifen von den Streifen entlang der Wirbelsäule. Letztere sind breite, auffallend dunkle Streifen, gesäumt von Streifen der helleren Grundfarbe, und verlaufen vom Schmetterling bis zum Schwanz. Der Wirbel auf der Seite sollte ein durchgehender Kreis der Grundfarbe um einen dunklen Fleck sein. Die Beine sollen gleichmäßig beringt sein bis zur Einmündung in die Körpermarkierungen. Die Vorderseite des Halses sollte wenigstens ein vollständiges Halsband aufweisen, und der Schwanz muß gleichmäßig beringt sein. Der Bauch sollte Reihen kleiner runder Flecken aufweisen. (A/-, t^b/t^b)

Lynx Point
Zeichnung mit Tabby-Markierungen an den Abzeichen wie beim Seal Lynx Point oder beim Blue Lynx. Tabby-Markierungen finden sich auf Kopf, Ohren, Beinen und Schwanz der Katze. Der Rumpf sollte frei von jeder Tabby-Markierung sein. Wenn der Genotyp nicht ausschließlich Aguti-Tabby enthält, wird man am Körper die Tabby-Zeichnung sehen können, besonders mit zunehmendem Alter des Tiers. (A/-, c^s/c^s, T^a/t^a)

Lynx Tips
Das Vorhandensein von Haarbüscheln an der Ohrenspitze. Lynx Tips sind zum Beispiel erwünscht bei der Maine Coon.

Maske
Dunklere Farbe bedeckt das Gesicht samt den Schnurrhaarkissen; sie kann durch Linien mit dem Ohr verbunden sein.

Maskieren oder Epistasie
Überdeckung und damit Unterdrükkung der Wirkung eines Gens durch ein anderes, das nicht zum gleichen Genpaar gehört. Das maskierte Gen nennt man hypostatisch.

Medaillon
Kleine, weiße oder farbige Stelle, die von der gewünschten Körperfarbe abweicht.

Melanin
Die Melanin-Pigmente (Eumelanin und Phäomelanin) färben Haar, Haut und Augen.

Mink
Auswirkung der Points- und Sepia-Gene auf Eumelanin oder Phäomelanin. Seal (natürliches) Mink, Blue Mink, Chocolate (Champagner-)Mink, Zimt-(Honig)Mink, Frost (Platin) Mink, Fawn Mink. Mink bezieht sich auf die Farbe der Tonkinesen. (c^b/c^s)

Modifikatoren
Polygene, die die Wirkung eines wichtigen Gens verändern können.

Modifizierte Keilform des Kopfes
Je nach Zuchtstandard werden die geraden Linien der Keilform verändert. Zum Beispiel: geschwungene Linien, sanfter Umriß, Fehlen flacher Ebenen, Schnauzenteil geht sanft in den Schädelteil über, Ohren sitzen wie bei Abessiniern etwas tiefer, oder der Kopf bildet ein gleichseitiges Dreieck wie bei der Norwegischen Waldkatze oder zeigt eine Reihe gerader Linien einschließlich der Stirn, des Nasenrükkens, den Seiten des Kopfs bis zur Schnauze und der Nase zum Kinn, wie bei der Russisch Blau.

Multiple Allele
Eine Serie von drei oder mehreren Allelen, wovon irgendeines an einer bestimmten Stelle des Chromosoms auftreten kann. Beispiele: das Tabby-System, das Albino-System. (C/-, c^b/c^b, c^s/c^s, c^a/c^a, c/c)

Mutation
Plötzliche Veränderung des Genotyps unabhängig vom Erbgut des Individuums.

Natural Mink
= Seal Mink

Natürlicher Schutz
bezieht sich auf die Struktur des Fells, seine Wasserfestigkeit und die harte Schutzschicht um den Haarschaft.

Nicht-Aguti
Die einheitliche Tönung und die Tortie-Farben. Das Nicht-Aguti-Gen verhin-

dert die Bildung gelber Streifen. Die Haare sehen aus, als wären sie vollkommen einfarbig. Rot entsteht bei Nicht-Agutis nicht; Nicht-Aguti funktioniert nur zusammen mit Eumelanin, so daß Haare, die Phäomelanin enthalten, stets aguti-gebändert sind. (a/a)

Orientalische schräge Augen
Die Augen der Katze sind schräg gegen die Nase gerichtet; ihre Außenwinkel zeigen auf die Ohrenmitte oder knapp darunter; die Projektion vom inneren Augenwinkel würde sich gegen die Mitte der Ohrenbasis richten.

Orientalischer Typ
Der Kopf ist lang und dreieckig, der Körper lang und schlank, die Beine lang und schmal, der Schwanz lang und peitschenähnlich.

Particolor
Färbung, die den Weißfleckfaktor aufweist, unabhängig von der Ausdehnung der weißen Flächen (ausgenommen Medaillons) oder von der Grundfarbe. Die Augenfarbe soll dieselbe sein wie die Fellfarbe, wenn sie keine weißen Flecken hätte; blaue Augen und ungleiche Augen werden allerdings auch zugelassen. Blaue und ungleiche Augen kommen häufiger bei Katzen mit mehr Weißanteil vor. Pfotenballen und Nasenspiegel dürfen rosa oder körperfarben sein. Eine Pfotenballe oder ein Teil der Nase können einfarbig oder in beiden Farben gefleckt sein. (S/s)

Peitschenförmig
Bezieht sich auf den Schwanz: lang, schlank, spitz zulaufend.

Phänotyp
Die Erscheinung eines Individuums, die von der genetischen Struktur abhängt.

Phäomelanin
Die auf Rot, Orange und Gelb basierenden Melaninkörnchen, die die Pigmentierung in Haar, Haut und Augen bestimmen und geschlechtsspezifisch sind. Eine der beiden Melaninsynthesen; die andere ist Eumelanin. (X^R/X^R oder 0)

Points
Die äußersten Spitzen des Katzenkörpers: Maske, Ohren, Schwanz und Pfoten.

Polygenie
Zwei oder mehr verschiedene Allelenpaare, von denen eine kumulative Wirkung angenommen wird. Sie bestimmen quantitative Merkmale wie Größe und Färbung. Eine kleine Gruppe von Genen kann zusammenarbeiten und körperliche Besonderheiten bestimmen.

Reinerbig
Die allelischen Paare sind identisch. (A/A, a/a)

Rezessiv
Dasjenige Gen eines Allelenpaares, das sich gegenüber dem dominanten Allel nicht durchsetzt. Rezessive Gene gelangen gewöhnlich nur in Homozygoten zur Erscheinung. (a/a)

Rex-Gene
Rexkatzen haben scheinbar kein Deckhaar (Deckhaare sind zwar vorhanden, aber wegen des Rex Gens verkürzt: die Spitzen sind manchmal abgebrochen); das Haar ist gewellt. Zwei Rex-Gene sind anerkannt: Cornish Rex (r/r) und Devon Rex (re/re)

Römische Nase
Die Nase ist gebogen, die Nüstern sitzen tief. Die Birma hat eine römische Nase.

Römisches Profil
Die Linie von Stirn und Nase ist leicht abwärts geschwungen, wie bei der Cornish Rex.

Rosetten
Eine Variation der Tabby-Zeichnung, bei welcher Rosetten statt Flecken gebildet werden. Rosetten sah man bei der Bristol Cat, und sie finden sich bei einigen Bengalen.

Rot
Bei Katzen tiefes, klares Orangerot. In TICA sind rote und cremefarbene Katzen phänotypisch aufgeführt und genotypisch registriert. (X^R/X^R oder X^R/Y oder 0/-)

Sable
Dunkelbraune Farbe, Seal Brown, Seal Sepia (B/-, c^b/c^b, D/-)

Schattiert
Färbung, bei der die Haarspitzen Farbe tragen, der Rest aber weiß oder blaß ist. Das Tipping bewegt sich zwischen Chinchilla und Smoke.

Schattierung
Allmähliche Veränderung der Fellfarbe, gewöhnlich vom Rücken zum Bauch.

Schildpatt s. Tortie

Schnauze
Der vordere Teil des Kopfes samt Kiefer, Kinn, Maul und Nase.

Schwarz
Schwarze Farbe, Fell von Wurzel bis Haarspitze tiefschwarz (B/-, D/-)

Seal
Die sealbraune, dunkelbraune Farbe der Abzeichen von Katzen mit Sepia oder Minkfarbe. (B/-, c^s/c^s, D/-); (B/-, c^b/c^s, D/-)

Sepia
Eine Farbe, die auf rezessivem Eumelanin- oder Phäomelanin-Genen beruht. So werden die Farben der Burma beschrieben. Varianten sind Seal oder Mink-Sepia, Blue Sepia, Chocolate-(Champagne-) Sepia und Platin-Sepia. Kommt auch vor in Zimt-Sepia, Fawn-Sepia, roter Sepia und cremefarbener Sepia. (c^b/c^b)

Sepia-Aguti-Tabby
Sealbraunes, dunkelbraunes oder sandfarbenes Ticking auf warmer, elfenbeinfarbener Grundfarbe. Die Singapura ist ein Seal Sepia (Sable Sepia) Aguti-Tabby (A/-, B/-, c^b/c^b, D/-)

Silber
Grundfarbe oder Unterfarbe sind silbern. Man braucht den Ausdruck für Chinchilla oder Shaded Silver oder den Silver Tabby. Das Silbergen vertreibt alles Gelb. Beispiele: Silver Tabbies und Silber-Torbies.

Silver Lynx Point
Die Silbertabby-Zeichnung beschränkt sich auf die Körperspitzen und ist dunkler als nichtsilberne Lynx Abzeichen. Alles Gelbe ist ausgeschaltet, der Körper ist fast weiß. Die Katze kann eine Tabby oder eine Torbie sein.

Sorrel Aby
Zimt-Aguti-Tabby. Warmes Rotbraun getickt mit Zimtfarbe. Die Pfotenballen sind rosa, zwischen den Zehen und manchmal über die Pfoten hinaus zimtbraun. Von manchen Verbänden wird die Farbe rot genannt, aber sie ist kein echtes Rot. (A/-, b^l/b^l, C/-, D/-, T^a/-)

Smoke
Die Katze sollte einfarbig oder schildpattfarben aussehen, bis man das Haar teilt und die blasse oder weiße Unterfarbe erblickt. Der Haarschaft trägt viel Farbe (drei Viertel davon sind farbig) auf blasser oder weißer Grundfarbe.

Smokefarben
Die grundlegende Beschreibung bezieht sich auf schwarze Smoke-Katzen: Sie sollten pechschwarz erscheinen mit einer silbrigweißen Unterfarbe. Außer der silbrigweißen Halskrause und Ohrbüscheln bei Langhaarkatzen sollte die Unterfarbe auf Kopf, Gesicht, Beinen, Rücken, Flanken und Schwanz nicht sichtbar sein, ehe man das Haar teilt. Bauch und Schwanzunterseite können grau erscheinen.

Stammbaum
Aufstellung der Vorfahren eines Individuums; grafische Darstellung einer solchen Vorgeschichte.

Standard
Der Ausdruck bezieht sich auf einen Rasse- oder einen Farbe- und Zeichnungsstandard. Jede anerkannte Rasse hat einen Vollkommenheitsstandard; er wird gewöhnlich von einem Züchterkomitee festgelegt und von einer Züchtersektion überwacht. Der Standard beschreibt die höchste «Vollkommenheit», aber wahrscheinlich kann ihm keine einzelne Katze entsprechen.

Stop
Eine Richtungsänderung: die kurze Neigung zwischen dem vorderen Teil des Schädels und der Schnauze, oder eine konkave Kurve in der Nase auf Augenhöhe oder knapp darunter. Sie kann sehr schwach oder auffallend sein.

Tabby
Die Tabby-Zeichnung besteht aus zwei Faktoren: der Zeichnung selbst und den Aguti-getickten Stellen dazwischen. Es gibt getickte Tabbies, Makkerel Tabbies, getupfte Tabbies und klassische Tabbies. Katzen mit nichthiesigen Genen können eine Rosettenzeichnung aufweisen.

Tipping
Die Enden der Haare tragen Farbe; weiter unten ist das Haar anders gefärbt. Der Grad des Tippings kann entscheiden, ob eine Katze als Chinchilla, schattiert oder Smoke eingestuft wird.

Tödliches Gen
Ein Gen, dessen phänotypische Wirkung so kräftig ist, daß der Träger nicht lebensfähig ist. Tod wegen verschiedener tödlicher Gene ist jederzeit möglich, von der Befruchtung des Eis bis zum hohen Alter. Es gibt dominante, unvollständig dominante und rezessive tödliche Gene.

Torbie
Gewöhnlich eine weibliche Katze: eine Schildpatt, die zu einem Tabby gewor-

den ist und bei der die schwarzen Flecken zusammen mit den roten ein Tabbymuster bilden. Der Unterschied zwischen einer Torbie und einer Tortie: bei der Tortie sind die eumelanistischen Flecken zusammenhängend, bei der Torbie weisen sie Tabbyzeichnung auf. Man nennt sie auch gefleckte Tabby oder Tabby Tortie (A/-, X^B/x^R, [T/-])

Torbie Point
Die Stellen eumelanistischer und phäomelanistischer Tabby-Zeichnung treten nur an den Körperspitzen auf. Der Körper ist bedeutend heller als die Abzeichen. Wird gewöhnlich mit Lynx Points gezeigt. (A/-, c^s/c^s, X^B/X^R [T/-])

Tortie
Ein Mosaik aus Eumelanin- und Phäomelanin-Flecken. Die Farben können verdünnt sein, dann entsteht eine blaue, eine Frost und eine Fawn-Tortie. Die Dosierung eumelanistischen und phäomelanistischen Pigments geschieht rein zufällig im Embryo. Eine ausgewogen gefleckte Katze mit klar abgegrenzten Farbflächen und einer deutlichen Blesse der phäomelanistischen Farbe auf der Nase wird bevorzugt. (X^B/X^R)

Tortie Point
Die Körperfarbe ist gleich wie die entsprechenden eumelanistischen Spitzen; eine allfällige Schattierung weist denselben Ton wie die Körperspitzen auf. Die Körper-Schattierung ist gesprenkelt. Die Farbe der Abzeichen ist in den entsprechenden eumelanistischen und phäomelanistischen Tönen gesprenkelt. Eine Blesse ist erwünscht. (c^s/c^s, X^B/X^R, T/-)

Träger
Ein heterozygotes Individuum, das – beispielsweise – ein rezessives Gen trägt. (A/a)

Typ
Körperbau, die allgemeine Form und Struktur des Körpers. Jede Rasse hat ihren eigenen Standard.

Umgekehrtes Ticking
Die äußerste Spitze gebänderten Haars ist hell statt dunkel.

Ungleiche Augen
Dabei ist stets ein Auge blau, das andere kann kupfer oder orange sein.

Unterfarbe
Der Teil des Haars, der der Haut am nächsten liegt. Bei einer Smoke der farblose Teil des Haars, bei Tabbies die Grundfarbe.

Unterwolle
Eine richtige Unterwolle besteht aus wolligem oder daunigem Haar unter dem Deckhaar.

Unvollständige Dominanz
besteht bei Heterozygoten, bei denen der Phänotyp zwischen zwei Homozygoten steht (LL = Kurzhaar, ll = Langhaar; Ll könnte zu halblangem oder halbkurzem Haar führen).

Van-Zeichnung
Wird als die extremste Auswirkung des Weißfleck-Gens betrachtet. Farbe zeigen nur Kopf und Schwanz. Ein oder zwei kleine Flecken auf dem Körper werden zugelassen. (S/S)

Verdünnung
Blassere Variante einer Grundfarbe, wenn die dichte Pigmentierung aufgelockert ist: Schwarz wird Blau, Chocolate wird lederfarbig, Zimtrot wird Fawn-Beige, Rot wird cremefarbig. Schon Chocolate und Zimtrot können als Verdünnung angesehen werden. (d/d)

Weiß
wird gewöhnlich als Farbe aufgezählt, aber es ist keine wirkliche Farbe, sondern die Abwesenheit von Farbe, bewirkt entweder vom dominanten Weiß-Gen allein oder zusammen mit dem Weißfleck-Gen. Kätzchen und junge ausgewachsene Katzen dürfen zuoberst auf dem Kopf etwas Farbe zeigen, die die maskierte Farbe oder Zeichnung verrät. Der Fleck verschwindet gewöhnlich im Alter von etwa 18 Monaten. (W/-)

Weiße verstreute Tupfen
Das Abwandern von Pigmentzellen sowie die Bildung von Pigmentstellen wird verhindert, so daß sich weiße Flächen ergeben, die pigmentierte Stellen umgeben. (S/S oder S/s)

Wildfarben
Die schwarze Agutifarbe bei Abessiniern oder Somalis wird oft als wildfarben bezeichnet. Orangebraun (gebrannte Siena), getickt mit zwei oder drei schwarzen oder dunkelbraunen Bändern, wobei die äußerste Spitze am dunkelsten ist und nahe der Haut Orangebraun aufscheint. Äußere Körperteile mit kürzerem Haar müssen wenigstens *ein* Ticking-Band aufweisen.

Zimtrot
Mittleres, warmes Braun mit roter Übertönung, ähnlich wie eine Zimtstange, heller als Schokoladebraun.

Nachwort

Die Zeit vergeht schnell. Es ist schon zehn Jahre her, daß ich begann, Katzen zu fotografieren. Zu Hause und im Ausland waren Katzen für mich bemerkenswerte Objekte für die Kamera. Ich habe keine Ahnung, wie oft ich den Auslöser betätigt habe, aber je mehr ich fotografiere, desto mehr Reize zeigt die Katze, und ich weiß nicht, wo meine Kreativität aufhört und die der Katze beginnt.

Dieses Buch war seit langem geplant, aber es war schwer in die Wirklichkeit umzusetzen. Eines Tages sagte mir Gloria, es finde in New York eine große Katzenschau statt und ich könne dort die Tiere fotografieren. Das war klar ein Fall von «Jetzt oder nie» für mein Buch. So reiste ich denn in den USA und in Kanada wie auch in Japan herum, um Katzenausstellungen zu sehen und Züchter kennenzulernen. Ich brauchte drei Jahre für die Fertigstellung des Buchs; ich machte über 6000 Fotos von 500 Katzen. Dabei kam ich mit vielen Züchtern zusammen, die bereitwillig ihre lebhaften Katzen fotografieren ließen, auf die sie so stolz waren. Ich kann meinen Freunden, die ich durch die Katzen kennenlernte, nicht genug danken.

Als ich an der New Yorker Schau fotografierte, merkte ich nicht, wie sich hinter mir Leute ansammelten. Jemand nannte meine Technik «action photographique». Ich betätigte jeweils den Auslöser, während ich mit der Katze spielte. Für gute Fotos mußten mein Geist und der Geist der Katze eins sein. Bäte ich jemand anders, die Katze zum Spielen zu verlocken, so verstünde ich die Katze nicht. Das würde nicht funktionieren. Und die Katze nähme auch nicht die von mir gesuchte Pose ein. Ich muß selber mit ihr spielen. Das war möglich dank der Kamera, einer Zenza Bronica, die sich einhändig bedienen läßt.

Ich hoffe, dieses Buch, das dem Leser die Katzenrassen besser verständlich machen soll, spiegelt auch meine beständige Zuneigung zu den Katzen wider.

Tetsu Yamazaki